다채로운 인문학 강의

다채로운 인문학 강의

발   행 | 2023년 12월 19일
저   자 | 권영민, 전유진, 김준희, 조경애, 이명숙, 하지원
펴낸이 | 한건희
디자인 | 권영민
펴낸곳 | 주식회사 부크크
출판사등록 | 2014.07.15.(제2014-16호)
주   소 | 서울특별시 금천구 가산디지털1로 119 SK트윈타워 A동 305호
전   화 | 1670-8316
이메일 | info@bookk.co.kr

ISBN | 979-11-410-6091-6

www.bookk.co.kr

다채로운
인문학 강의

머리말

이 책은 명화인문학, 그림책인문학, 신화인문학, 영화인문학, 캘리인문학 등 다양한 분야에서 활동 중인 6명의 인문학 강사에 의해 만들어진 책입니다. 우리는 각자의 전문 분야에서 축적한 지식과 경험을 바탕으로 이 책을 집필하였습니다.

《다채로운 인문학 강의》는 인문학에 입문하고자 하는 분들이나 이미 인문학에 관심을 가지고 있는 분들에게 다양한 시각과 의견을 제시하기 위해 만들어졌습니다. 각 장은 저희가 가장 재미있게 가르칠 수 있는 주제를 선택하여, 독자분들에게 인문학의 다양한 면모를 경험하실 수 있도록 구성하였습니다.

이 책은 입문자부터 숙련자까지 모두 즐겁게 읽을 수 있도록 제작되었습니다. 각 장은 우리의 다양한 배경과 관점을 바탕으로 작성되어, 독자분들에게 경이로움과 감명을 전달할 것입니다. 또한, 저희의 목표는 인문학의 매력과 다양성을 널리 알리는 것입니다.

이 책을 통해 여러분과 함께 다양한 인문학적 경험을 하고, 창의적인 사고와 통찰력을 발전시키길 바랍니다. 우리는 인문학이 여러분에게 끊임없는 새로운 발견과 성장의 기회를 제공해 줄 것이라 믿습니다. 따라서, 이 책이 여러분의 삶에 영감과 유익함을 가져다줄 수 있다고 기대합니다.

저희는 독자분들이 이 책을 통해 인문학의 다양한 분야를 알아보고 혹은 좀 더 깊게 탐구할 수 있는 계기가 되길 바랍니다. 그리고, 이 책이 여러분의 지식과 이해력을 넓혀주기를 바랍니다.

다시 한 번 감사드리며, 책을 통해 여러분에게 새로운 인문학의 세계를 열어주길 바랍니다. 함께 여행하는 듯한 이 책이 여러분께 많은 영감을 주고, 삶을 더욱 풍요롭게 만들어 줄 수 있기를 기대합니다. 감사합니다.

2023년 12월
저자 일동

CONTENT

반 고흐

인생수업

권영민 소장
(권영민인문학연구소)

1. 열정의 화가,
반 고흐에게 인생을 배우다

빈센트 반 고흐(Vincent van Gogh)는 19세기 네덜란드의 화가로, 그의 생전에는 큰 인기를 끌지 못했지만, 그의 작품은 그의 죽음 이후 굉장한 인기를 누리며 세계적으로 유명한 화가 중 한 명이 되었습니다.

반 고흐는 1853년 네덜란드의 노르트브라반트주 쥔더르트에서 태어났으며, 가난한 목사 가정에서 자랐습니다. 그는 어렸을 때부터 예술적인 소질을 보였지만 화가가 되기 전에 다양한 직업을 가지면서 살았습니다. 1880년대에 화가로서의 첫 발을 내딛었으며, 파리에서 화상을 운영하던 동생 테오와 편지 교환을 통해 작품에 대한 이론적인 고민하며 발전해 나갔습니다.

반 고흐의 작품은 대부분 자연이나 인물을 주제로 하며, 선명한 색상과 강렬한 감정을 전달하는 특징을 가지고 있습니다. 그는 '현실주의'나 '인상주의' 같은 당대 미술의 유행에는 크게 관심을 가지지 않았으며, 자신만의 독특한 화풍을 만들어내기 위해 끊임없이 실험하고 창조했습니다.

반 고흐의 작품은 그의 삶과 밀접한 관련이 있습니다. 그는 건강이 나쁘고 불안정한 성격과 가난과 고통으로 가득 차 있었습니다. 그는 한때 극도의 절망에 빠져 자신의 귀를 자른 일도 있습니다. 1890년, 37살의 나이에 세상을 떠났지만, 그의 작품은 그의 삶과 정신세계를 매우 강렬하게 반영하고 있습니다. 작품 중 일부는 전통적인 미술의 기술과 법칙을 따르지 않으며, 그의 작품을 통해 혁신적인 아이디어를 발전시키는 데 기여했습니다. 예를 들어, 그는 극적인 효과를 내기 위해 강렬한 색채를 사용하고, 선과 질감을 강조하여 그림의 표현력을 높였습니다. 또한, 그는 자연의 아름다움을 전달하는 것이 아니라 자연에 대한 그의 개인적인 감정과 경험을 그의 작품에 담아냈습니다.

반 고흐는 미술사에서 '포스트 인상주의'라는 용어로 불리는 미술 운동의 선구자 중 하나입니다. 그는 표현주의와 심리주의와 같은 신경 정신학적인 요소를 그림에 반영하였으며, 이는 후대 예술가들에게 큰 영향을 미쳤습니다.

마지막으로, 반 고흐는 그의 삶과 작품을 통해 우리에게 의미 있는 가르침을 전달합니다. 그는 어려운 삶의 상황에서도 예술을 통해 자신의 감정을 전달하고자 노력하며, 그의 예술가로서의 역량을 최대한 발휘하였습니다. 그의 삶은 인류의 예술사에 큰 영향을 끼쳤으며, 우리에게 인생의 가치와 아름다움에 대한 깊은 인식을 전달합니다.

반 고흐에게 배우는 인생공부

반 고흐는 예술가로서 탁월한 그림으로 유명하지만, 그의 인생은 불안정하고 괴로웠습니다. 그럼에도 그는 자신의 예술에 전념하며 인생을 살아갔습니다. 그의 삶에서는 여러 가지 교훈을 얻을 수 있습니다.

열정과 목표를 추구하다

빈센트 반 고흐는 자기 예술에 대한 열정과 목표를 추구하기 위해 인생을 바쳤습니다. 그는 예술가로서 인정받기 위해 끊임없이 연습하고 연구했습니다. 그의 끈기와 열정은 그가 예술에서 성공을 이루는 데 큰 역할을 했습니다.

자신의 삶을 살다

반 고흐는 자기 생각과 열망에 따라 행동하는 독립적인 삶을 살았습니다. 그는 예술가로서의 자아실현을 위해 보통과 다른 삶을 살았습니다. 이는 종종 고통스러운 선택이었지만, 그는 자신이 추구하는 방식으로 살아가는 것이 인생에서 가장 중요하다고 믿었습니다.

정서를 관리하다

반 고흐는 정서적으로 불안정한 삶을 살았습니다. 그는 많은 고통과 삶의 어려움을 겪었지만, 그의 그림을 통해 이를 극복하려 노력했습니다. 그는 자신의 정서를 표현하고 관리하는 방법을 찾는 데 중요한 역할을 했습니다.

자기 관리를 하다

반 고흐는 자기 관리를 하지 않고 자신을 잘 돌보지 않았습니다. 그는 자신의 건강을 소홀히 다루고, 술을 남용하며, 자신의 신념에 따라 가족과 친구들과의 관계를 끊는 등 여러 가지 잘못된 선택을 했습니다. 이러한 선택이 그의 삶에 부정적인 영향을 미치는 결과를 초래했습니다.

예술은 생명의 에너지다

반 고흐는 예술이 생명의 에너지이며, 인간의 삶에서 매우 중요한 역할을 한다고 믿었습니다. 그는 그림으로 자아를 실현하고, 내면의 감정과 경험을 표현하려 노력했습니다. 반 고흐는 예술을 통해 삶을 의미 있게 만들고, 그의 그림을 통해 세상을 더 나은 곳으로 만들 수 있다고 믿었습니다. 예술은 그에게 삶의 에너지를 부여하고, 그의 예술 작품은 후대에 그의 업적을 전해주는 역할을 합니다. 그는 예술이 인간의 삶에서 매우 중요한 역할을 한다고 믿었기 때문에, 자신의 예술에 대한 열정과 목표를 추구하는 데 큰 노력을 기울였습니다. 그의 그림은 그가 살아온 시대의 예술사를 바꾸는 중요한 역할을 하였으며, 오늘날에도 세계적인 예술가들에게 큰 영향을 미치고 있습니다.

2. 열정과 목표를 추구하다

 반 고흐는 예술가로서 열정과 목표를 추구하는 데 최선을 다했습니다. 그는 자신의 예술적 비전을 추구하며 꾸준한 작업과 연구를 통해 자신만의 스타일을 만들어 냈습니다. 그의 작업과 연구에 대한 열정은 그의 삶의 모든 영역에서 드러납니다. 그는 예술가로서 성공하기 위해 최선을 다하며, 자신의 그림에 대한 비전을 계속해서 발전시켜 나갔습니다. 이를 위해 그는 자신만의 스타일과 기술을 개발하였고, 다양한 예술 작품과 예술가들에 대한 탐구를 진행했습니다.

 반 고흐의 그림에서는 그의 열정과 목표 추구를 통해 나타나는 엄청난 에너지와 집중력을 느낄 수 있습니다. 그는 예술 작업을 통해 내면에 담겨있는 감정과 생각을 다양한 방식으로 표현하였고, 이를 통해 그의 그림은 높은 예술적 가치와 독특한 개성을 지니게 되었습니다. 그의 예술적 열정과 목표 추구는 그의 삶에서도 큰 역할을 했습니다. 그는 자신이 진정으로 관심을 가진 것에 열정적으로 노력하며, 그에 대한 목표를 추구했습니다. 예를 들어, 그는 예술가로서 인정받기 위해 많은 노력을 기울였으며, 또한 자신이 진정으로 사랑하는 여성과 결혼하기 위해 노력했지만 결혼에 이르지는 못했습니다.

따라서 반 고흐의 삶에서 우리는 열정과 목표를 추구하는 중요성을 배울 수 있습니다. 그의 그림을 통해 우리는 끊임없는 노력과 목표에 대한 열정이 어떤 결과를 낳을 수 있는지 볼 수 있습니다. 이러한 열정과 목표 추구는 개인의 인생에서도 중요한 가치를 지니며, 더 나은 삶을 위해 노력하는 데 큰 영감을 얻게 됩니다.

열정과 목표를 추구하라 - 별이 빛나는 밤에

반 고흐의 그림 중에서 〈별이 빛나는 밤에〉는 반 고흐가 정신적 고통과 격동적인 내면을 표현한 대표작 중 하나입니다.

〈별이 빛나는 밤에〉는 반 고흐가 1889년에 그린 그림 중 가장 유명한 하나로, 이 그림은 농촌 마을에서 그의 생활을 보냈던 반 고흐가 발표회에서 최초로 발표한 그림 중 하나였습니다. 이 그림은 밤 하늘에 떠 있는 별들, 빛나는 별빛, 그리고 조용한 마을의 풍경을 다양한 색채로 표현하였습니다. 반 고흐는 그림에서 일부 별을 직접적으로 표현했는데, 그 중 하나는 그림의 가운데 위치한 큰 별인데, 이 별은 일반적으로 '반 고흐의 별'이라고 불리며, 그의 인생과 그림에 대한 상징성이 담겨 있습니다.

이 그림을 그리는 동안 반 고흐는 건강의 문제와 어려움에 직면했습니다. 그는 정신적인 문제와 심리적인 고통을 겪으며, 그의 생활은 언제나 고요하지 않았습니다. 그러나 그는 이 그림에서 조용하고 아름다

<별이 빛나는 밤에, 1889년, 뉴욕 근대미술관>

운 밤하늘을 그려 자신의 감정을 표현하고자 노력했습니다.

〈별이 빛나는 밤에〉를 그릴 때, 반 고흐는 친구인 에밀 베르나르에게 보낸 편지에서 그는 이 그림을 그릴 때, "마치 새벽까지 계속해서 노동하며 작업한 것처럼" 느꼈다고 합니다. 그의 편지에서 그는 "그림을 그리는 동안 나는 아무것도 생각하지 않았다. 그저 존재하는 것, 그것이 모든 것이었다"고 적어 놓았습니다.

반 고흐는 이 그림을 그릴 때, 자연의 아름다움과 별들의 빛나는 아름다움을 최대한 담아내고자 노력했습니다. 그의 편지에서는 이러한 노력이 그의 그림에 녹아들었다고 말하며, "그림 속의 별들은 나의 마음속에 있는 어떤 것과도 같다." 그의 편지에서는 이 그림이 그의 예술적인 노력의 결과이며, 자연과의 조화를 표현했습니다.

이 그림은 반 고흐의 예술적 목표와 열정을 보여주는 대표적인 그림 중 하나로, 반 고흐는 이 그림을 그리기 위해 무려 한 달간 밤을 새워 그림 작업했습니다. 또한 그는 이 그림에서 자신만의 고유한 표현 방식을 개발하고, 작가로서 자신의 목표와 비전을 추구하는 데에 큰 열정을 불어넣었습니다. 또한 반 고흐는 이 그림에서 자신의 별 '반 고흐의 별'을 표현했으며, 그의 편지에서는 "내가 그린 것은, 내가 생각하는 것이 아니라, 내가 본 것이다. 그림 속의 별들은 빛이다."라고 말했습니다. 이는 그의 그림에서 자연을 최대한 살리려는 노력을 보여주며, 그의 예술적인 철학과 그의 그림에 대한 열정을 나타냅니다.

3. 자신의 삶을 살다

"자신의 삶을 살라"란 반 고흐가 자신만의 방식으로 삶을 살아가며, 다른 예술가들과는 다른 독자적인 예술을 만들어가며 살아가는 것을 의미합니다.

반 고흐는 예술 분야에서 새로운 독자적인 방식을 만들기 위해 기존의 예술 관념에 맞지 않는 새로운 시도를 많이 했습니다. 예를 들어, 그는 선명하고 강렬한 색채를 사용하며, 대형 캔버스에 자기 내면을 노골적으로 표현하는 등 기존의 예술 표현 방식과는 다른 방식으로 그림을 만들어냈습니다.

또한, 반 고흐는 자신이 원하는 대로 자유롭게 삶을 살아갔습니다. 그는 직업을 바꾸고, 장소를 이동하며, 불안정한 삶을 살아가면서도 자신의 예술을 추구했습니다. 그는 가족이나 사회의 관습과 기대에 따라 삶을 살지 않고, 자신이 원하는 방식으로 자유롭게 살아갔습니다.

반 고흐의 이러한 자신만의 삶의 방식은 그가 자신만의 예술적 독창

<수염 없는 자화상, 1889년, 오르세미술관>

성을 유지하면서도 삶을 살아갈 수 있었던 비결이기도 합니다. 그는 자신이 원하는 대로 예술을 추구하면서도 자신의 삶에서 영감을 얻었으며, 이를 통해 예술을 향한 열정과 자신만의 예술적 목표를 추구할 수 있었습니다. 따라서, "자신의 삶을 살라"는 반 고흐의 삶과 그림에서 우리가 배울 수 있는 가치 중 하나입니다. 우리는 자신만의 독자적인 방식으로 삶을 살아가면서, 우리만의 열정과 목표를 추구하며, 자신의 예술적 독창성을 유지해 나갈 수 있습니다.

자신의 삶을 살다 - 수염 없는 자화상

반 고흐는 '자화상(Self-portrait)'을 많이 그린 화가입니다. <수염 없는 자화상>은 1889년에 반 고흐가 파리에서 자신의 스튜디오에서 그린 자화상 중 하나입니다.

이 그림은 반 고흐가 스스로의 내면적인 탐구와 예술적인 실험의 결과물입니다. 이 그림은 일반적으로 반 고흐의 특징적인 스타일인 강렬한 색채와 두꺼운 붓으로 그려진 획들로 구성되어 있습니다. 그의 얼굴은 잘 알려진 존재감 있는 표정으로 그려져 있으며, 내면을 드러내는 듯한 감성적인 느낌이 전해집니다. 반 고흐는 이 그림에서 담백하고 깨끗한 색채를 사용하여 그 자신을 깨끗하고 순수한 인물로 보여줍니다.

이 그림의 이름에는 "수염 없는"이라는 표현이 들어갑니다. 이는 반 고흐가 일시적으로 수염을 깎았다는 사실과, 이 그림에서 그의 수염이 없다는 것을 나타냅니다. 이 그림은 수염이 그의 이미지를 대표하는 요소 중 하나였던 반 고흐의 이미지에 대한 변화와 실험적인 태도를 보여주며, 그의 예술적인 탐구에 대한 열망을 나타내고 있습니다.

〈수염 없는 자화상〉은 반 고흐가 자신 내면을 자극하는 데 중요한 그림이었으며, 그의 예술적인 스타일과 태도를 잘 보여주는 그림 중 하나입니다. 이 그림은 반 고흐가 스스로 표현하는 데 있어서 중요한 역할을 했으며, 그의 예술적인 열망과 실험적인 태도를 보여주는 중요한 그림입니다.

반 고흐는 자화상을 그리는 것을 좋아했으며, 그의 그림에서 자기 얼굴을 여러 가지 방식으로 표현하면서, 얼굴을 적극적으로 연구하고, 자아성찰을 하였습니다. "수염 없는 자화상"을 그린 당시인 1889년 9월, 반 고흐는 그의 동생 테오에게 다음과 같이 적은 편지가 남아 있습니다:

"나는 얼굴을 그린 것이 재밌었고, 내 얼굴도 들여다보았다. 그것은 몇 가지 변화를 거쳤지만 여전히 나의 모습이었다. 그것은 색채적으로 변화가 있었다. 이번에는 자신감이 느껴지는 황금빛의 노란색을 사용했다. 그리고 넓은 붓을 사용하여 바다보다도 깨끗하게 그렸다. 그것은 놀라울 정도로 창조적이다. 하지만 나는 그게 더 나은 방향이 아닌가? 나의 얼굴이 덜 상처받아 보이지 않는가? 나의 성격을 더 자세히 파악할 수는 없을까?" <편지>

반 고흐는 이 편지에서 자신의 자화상을 그리면서 자기 내면을 들여다보았고, 그것이 그의 예술적 탐구에 중요한 역할을 한다는 것을 알 수 있습니다. 그는 이 그림에서 자신의 새로운 이미지를 실험하며, 그의 예술적인 탐구와 독창성을 전개하고자 했습니다. 또한, 그는 이 그림이 그의 얼굴이나 성격을 더 잘 드러내도록 하기를 원했습니다. 이러한 반 고흐의 태도는 그의 예술적인 열망과 실험적인 태도를 보여주는 중요한 그림 중 하나인 〈수염 없는 자화상〉에서 잘 보입니다. 반 고흐는 이 그림에서 내면을 깊이 있게 그려내면서, 자신의 예술적 열정과 열망을 강조합니다.

4. 정서를 관리하다

　반 고흐는 예술가로서 창작 과정에서 많은 어려움과 갈등을 겪었습니다. 이는 그의 정신적인 불안정과도 관련이 있었습니다. 그러나 그는 불안정한 정서를 관리하는 방법을 찾아내고, 그의 예술 창작에 반영했습니다.

　반 고흐는 종종 자연에 향해 걷거나 그림을 그리면서 스트레스를 해소하곤 했습니다. 그의 그림에서는 강렬한 색채와 거친 붓질, 독특한 시각적 구성 등이 두드러지는데, 이는 그의 정서적 상태를 그대로 반영했습니다. 불안정한 감정을 그림으로 표현함으로써 그 자신의 마음을 진정시키고, 자신의 정신적인 고통을 다루는 데 도움이 되었습니다.

　반 고흐의 그림에서는 그의 불안정한 정서가 그의 창작 과정과 그림에 큰 영향을 미쳤다는 것을 알 수 있습니다. 그는 내면에서 나오는 강렬한 정서를 정직하게 표현하고, 그것을 예술적인 표현으로 만들어내는 과정을 통해 자신의 마음을 치유하고 자신의 창작에 새로운 차원을 부여하였습니다. 따라서, 그의 그림에서 우리는 불안정한 정서를 잘 관리하고, 그것을 창작 과정에 활용할 수 있다는 것을 배울 수 있습니다.

정서를 관리하다 - 감자 먹는 사람들

반 고흐의 그림 중에서 〈감자 먹는 사람들(The Potato Eaters)〉는 그의 불안정한 정서를 관리하며 그린 대표작 중 하나로, 이 그림은 그가 그린 초기 그림 중 가장 유명한 그림입니다. 1885년에 그린 그림으로, 그의 화가로서의 시작점을 나타내는 그림입니다. 이 그림은 그의 동생 테오의 충고를 받아 네덜란드의 농촌 지역에서 그렸습니다. 그는 그 지역의 빈민층 사람들을 그렸습니다. 그림은 화려하지 않고 그들의 일상적인 모습을 그리고 있습니다.

그림에서는 흐릿하게 켜진 불빛 아래에서 한 집안에서 식사하는 사람들의 모습이 그려져 있습니다. 그들은 낙엽을 쌓은 방 안에 앉아 감자를 먹고 있습니다. 그들은 서로 얼굴을 바라보며 대화하며, 그들의 얼굴은 몹시 지친 듯이 보입니다. 방 안에는 산란한 불빛으로 인해 그림자가 길게 그려져 있으며, 그림 전반적으로 어두운 색조로 그려져 있습니다. 그림에는 인간의 고독과 어려움, 가난한 삶의 힘든 현실이 묘사되어 있습니다.

반 고흐는 동생 테오에게 쓴 1885년 4월 30일의 편지에서 다음과 같이 그림에 대해 다음과 같이 설명합니다.

"나는 지금 가난한 농부들을 그리고 있어. 그들은 감자를 먹고 있

<감자 먹는 사람들, 1885년, 반 고흐 미술관>

는데, 그들은 정말 서로를 사랑하고 동정심을 느낀다. 그들의 얼굴은 저주받은 것처럼 보이지만, 나는 그들의 모습을 빛나게 하기 위해 노력하고 있다."

반 고흐는 또한 그의 그림에 대해 형제 테오에게 다음과 같이 쓴 편지에서 "나는 그들의 고통, 그들의 어둠, 그리고 그들의 삶을 그리려고 노력했다. 그들의 얼굴은 모두 마치 그들의 생활 조건처럼 힘든 듯 보이지만, 내가 그리는 것은 그들의 인간성, 그들의 인내력, 그리고 그들의 사랑이다."라고 말했습니다.

〈감자 먹는 사람들〉은 반 고흐의 자전적인 요소가 담긴 그림으로, 그의 가족과 이웃들의 일상을 표현했습니다. 노동자들은 농장에서 감자를 캐는 등 수고스러운 일을 하고 있지만, 그들은 여전히 웃고 이야기를 나누며 즐거운 시간을 보내고 있습니다. 이러한 삶의 지혜와 따뜻한 인간성이 반 고흐의 그림에서 느껴집니다.

이 그림으로 반 고흐의 색채와 그림 기술에 대한 대담한 시도로 인해 매우 유명해졌습니다. 그는 밤과 어두운 장면에서 색감을 표현하는 데에 매우 능숙했으며, 그림의 전체적인 색조는 황갈색, 검정색, 녹색 등이 주를 이루고 있습니다.

5. 자기 관리를 하다

반 고흐는 자기 관리를 통해 자신의 예술적 역량을 향상시켰습니다. 그는 생활 패턴을 만들고, 규칙적인 생활 습관을 유지하여 건강한 신체와 정신을 유지하려 노력했습니다. 예를 들어, 그는 매일 일찍 일어나며 일과 생활 패턴을 규칙적으로 유지했으며, 또한 운동을 하고 걷기를 좋아했으며, 걷는 것을 즐기면서 자연을 감상하고 창작적 아이디어를 떠올리기도 했습니다. 그는 또한 건강한 식습관을 유지하려 노력하였습니다.

반 고흐는 또한 자신의 정신 건강을 관리하기 위해 인간 관계를 중요하게 생각했습니다. 그는 다른 화가들과 대화를 나누고, 서신을 주고받는 등 화가로서의 사회적 활동을 지속했습니다. 그의 자기 관리 노력은 그가 예술 그림을 창작하는 데 큰 영향을 미쳤습니다. 그는 건강한 신체와 정신 상태를 유지하면서 창의적인 아이디어를 자유롭게 발전시킬 수 있었고, 이를 그림에 반영했습니다. 따라서, 우리는 반 고흐의 자기 관리 노력에서 자기 몸과 마음을 적극적으로 관리하면서 창의적인 아이디어를 발전시키는 방법을 배울 수 있습니다. 이를 통해 우리는 일상생활에서 예술적 역량을 올리는 데 도움을 얻었습니다.

자기관리를 하다 - 해바라기

반 고흐의 그림 중 〈해바라기(Sunflowers)〉은 자기 관리에 대한 훌륭한 예시 중 하나입니다. 반 고흐는 자신의 스튜디오에서 자기 관리를 철저히 하고, 일정 시간 동안만 일을 하고 휴식을 취하는 등의 루틴을 만들어 일관성을 유지하려고 했습니다. 이러한 노력 중 하나가 〈해바라기〉 시리즈를 그렸습니다. 반 고흐는 황금빛으로 빛나는 해바라기를 그려 자신의 내면에서 찾은 안정과 평화로움을 나타내고자 했습니다.

이 〈해바라기〉는 큰 꽃으로 이루어진 열두 개의 해바라기가 촘촘하게 나열된 그림입니다. 밝고 화려한 색감으로 그려져 있으며, 해바라기의 줄기와 잎사귀는 거의 보이지 않고, 배경은 어두운 갈색이어서 해바라기들의 색채가 더욱 빛나게 느껴집니다.

이 그림은 반 고흐가 친구인 화가 고갱의 방을 장식하기 위해 그린 일련의 그림 중 하나입니다. 반 고흐는 자연에서 영감을 받아 삶과 열정을 나타내는 것을 좋아했습니다. 이 그림에서는 해바라기의 선명한 색채와 강렬한 표현력으로 자연의 아름다움을 표현하면서, 그의 열정과 노력을 나타내고 있습니다. 반 고흐는 동생 테오에게 여러 편의 편지를 보냈습니다.

<12송이 해바라기, 1888년, 런던국립미술관>

"나는 지금 고갱을 위해 작업 중이다. 나는 두 개의 큰 그림을 그렸다. 하나는 청색으로 배경을 그린 15개의 해바라기로 이루어진 그림이며, 다른 하나는 황색으로 그린 15개의 해바라기로 이루어진 그림이다. 나는 이 두 그림을 고갱의 방에 놓기 위해 만들고 있다." **<편지>**

반 고흐는 〈해바라기〉 시리즈의 작업 중에 여러 버전을 그렸습니다. 그는 이 그림을 그려낸 데 어려움을 겪었고, 그의 동생 테오에게 쓴 편지에서는 "나는 매우 힘든 작업에 빠졌다. 나는 해바라기를 그리고 있는데, 이 작업은 나를 지치게 만드는데, 내가 그리는 것은 그들의 생동감과 그들이 내게 전하는 감동이다."라고 말했습니다.

반 고흐는 이 그림을 그리는 동안 자신의 열정과 삶의 열망을 투영했습니다. 〈해바라기〉는 그의 생명력과 창조력을 나타내며, 그의 예술적 비전과 열망을 대변하는 중요한 그림입니다.

해바라기 시리즈는 그가 자신의 건강을 회복하고, 예술가로서의 자아를 찾아가는 과정에서 그렸기 때문에, 그의 자기 관리에 대한 노력을 상징하는 그림으로 평가받고 있습니다. 이 그림으로 반 고흐는 자신만의 스타일을 발견하고, 더 나은 예술가가 되기 위해 자기 관리와 헌신적인 노력을 계속할 것을 깨달았습니다.

6. 예술은 생명의 에너지다

반 고흐는 예술을 그의 인생에서 가장 중요한 요소로 여겼습니다. 그는 그림 그리기를 통해 내면을 표현하고, 생각과 감정을 다른 이들과 공유하며, 자아를 발견하고자 했습니다. 그는 예술이 인간의 삶과 존재를 보다 높은 차원에서 이해할 수 있게 하며, 삶에 대한 더 깊은 의미와 가치를 제공한다고 믿었습니다.

반 고흐의 예술 그림에서는 자연, 인물, 정서 등 현실적인 대상을 다루면서도 생명의 에너지와 창의성을 발산합니다. 예술이 그에게는 생명의 에너지였기 때문입니다. 그는 예술을 통해 자신의 삶과 이해력을 더욱 풍부하게 하고, 세상을 보다 깊이 이해하고자 했습니다.

반 고흐는 자신의 예술이 다른 이들에게 에너지와 영감을 주기를 바랐습니다. 그는 그림으로 인간의 감정과 경험을 공유하고자 했으며, 이러한 공유가 인간의 삶과 예술의 가치를 더욱 높여주리라 믿었습니다. 따라서, 반 고흐의 예술은 그에게 에너지와 삶의 의미를 제공하는 것뿐만 아니라, 그의 그림을 통해 다른 이들도 에너지를 얻을 수 있게 만들어주었습니다.

<밤의 카페 테라스, 1888년, 크뢸러-뮐러 미술관>

예술은 생명의 에너지 - 밤의 카페 테라스

반 고흐는 그의 예술적인 경력 동안 여러 그림을 남기며, 예술은 생명의 에너지라는 그의 신념을 그림에 잘 담아냈습니다. 반 고흐에게 배울 점은 그가 그림을 그리는 데 있어서 진솔한 감정을 담고자 하며, 색채의 강조와 표현력을 통해 자기 내면을 표현하고자 했다는 것입니다.

반 고흐가 그린 〈밤의 카페 테라스〉은 그의 대표작 중 하나로, 밤에 카페에서 술을 마시며 즐기는 사람들의 모습을 담고 있습니다. 이 그림은 1888년 9월 16일, 프랑스 아를에서 그려졌습니다.

그림의 배경은 밤하늘이며, 밝고 화려한 색상과 획을 두껍게 그은 선들, 그리고 굵은 브러시 스트로크를 사용하여 전체적으로 고유하고 화려한 분위기를 만들어 냅니다. 그림의 중심에는 카페 테라스가 위치하고 있으며, 그리스 신들의 이름이 적힌 광장의 경계선이 그려져 있습니다.

그림에는 밤의 분위기를 고스란히 전달하기 위해 노란색과 주황색의 조명이 사용되었으며, 사람들의 모습은 분명하지 않지만, 그들이 즐기는 순간을 담았습니다. 이것은 반 고흐가 그림에서 인물의 내면을 묘사하고자 하는 노력의 일환으로 생각할 수 있으며, 인간의 존재와 인간이 갖는 역할, 사람과 사람 사이의 관계에 대한 반 고흐의 생각을 반영합니다. 그는 인간이 대화와 교류를 통해 함께 살아가야 한다고 믿었으며, 그림 속의 사람들은 이러한 삶의 이야기를 담고 있습니다.

반 고흐는 〈밤의 카페 테라스〉를 그린 후 그 그림에 대한 자신의 생각을 담은 편지를 쓰기도 했습니다.

"나는 그림 속의 카페 테라스를 작은 변명으로 사용하여, 어떻게 작은 카페에서도 별거 아닌 장소에서도 영혼적인 것을 전달할 수 있는지를 보여주고자 했다. 나는 앉아 있고, 손님들은 내 주위를 돌아다니고, 밤의 천장에는 별들이 빛나며, 그들은 별이 빛나는 밤에 갈색과 노랑, 녹색과 파랑, 비둘기 회색과 검은색으로 빛나고 있다."

"나는 밤에 앉아, 우주의 크기를 고려하면 우리 인간은 단지 거미줄 위에 떠다니는 작은 존재일 뿐이며, 그러나 그림에서는 우리 인간이 얼마나 아름답고 중요한 존재인지를 나타내고자 했다."

"그림 속에는 가족과 친구, 식사, 술과 함께 즐기는 모습이 담겨 있다. 그림은 그저 카페 테라스의 풍경이 아니라, 생명과 사람의 모습을 보여주며, 이것이 나의 목적이었다."

반 고흐의 이 편지는 〈밤의 카페 테라스〉에 대한 그의 철학과 시각적인 접근 방식을 잘 보여줍니다. 이 그림은 그의 예술의 철학과 표현합니다.

빛의 화가, 클로드 모네
인생수업

전유진 소장
(전유진인문학연구소)

빛의 화가, 클로드 모네를 만나다

(Oscar-Claude Monet, 프랑스 파리 출생, 1840~1926)

●
●
●

"내가 성취하는 풍요로움은 내 영감의 원천인 자연에서 나옵니다."

-클로드 모네

자연의 미(美)를 사랑한 화가 모네,

모네는 자연을 그리는 것을 인생의 목적으로 삼았고, 끊임없이 자연을 바라보며 빛과 색을 관찰했습니다. 그의 작품에서는 자연이 노래하는 듯한 아름다움과 따뜻함이 느껴집니다. 반짝이는 물결 속에서 빛과 색이 춤을 추며 흐르는 모습이 눈에 선하게 보입니다. 그의 감성적인 작품을 통해, 우리는 자연의 아름다움과 빛의 변화를 새롭게 느껴볼 수 있습니다. 자연과 빛에 대한 그의 강한 관심과 감성적인 태도는, 우리에게 자연을 사랑하고 존경하는 마음을 불러일으키고, 새로운 시각으로 자연을 돌아볼 수 있게 해줍니다.

인상주의의 창시자, 클로드 모네는 1840년 11월 14일, 파리의 라피트가 45번지에서 태어났습니다. 사업가였던 모네의 아버지는 회사 상황이 여의치 않자 가족을 이끌고 항구도시 노르망디로 이주했고, 당시 여섯 살이었던 모네는 프랑스 북부의 오래된 항구와 해안 도시들에서 소년 시절을 보냈습니다. 학교 수업이나 공부에 관심을 두기보다는 해변으로 나가 바위, 절벽, 모래 언덕을 뛰어다녔으며, 노트를 장식으로 꾸민다거나 학교 선생님, 르아브르의 유명 인사들을 우스꽝스럽게 스케치하며 놀았습니다. 열다섯 살이 되자 모네는 르아브르의 캐리커처 화가로 유명해졌고 미술의 첫 발걸음을 내딛게 됩니다.

모네가 캐리커처를 전시한 진열장에는 당시 '하늘의 왕'이라고 불렸던 풍경화가 외젠 부댕의 그림들도 함께 전시돼 있었습니다. 모네는 이때 알게 된 부댕에게 많은 영향을 받았고 부댕은 모네에게 화실이 아니라 야외로 나가서 그려야 그림에 힘과 생명력이 생긴다고 가르쳤습니다. 모네는 부댕을 따라다니며 그가 구현한 풍경화 기법을 배웠고 날씨와 대기의 상태에 따라 끊임없이 변하는 하늘과 바다 풍경에 집중했습니다.

인상파의 창시자, 모네

•
•
•

"그림을 그리러 나가면 눈앞의 나무, 집, 그게 무엇이든 모조리 잊어라. 그저 보이는 건, 푸른 사각형, 분홍의 타원형, 노란 줄무늬라고 생각하라. 그때 눈에 들어온 그대로 색과 모양을 그려라. 그것이 당신에게 비친 순수한 인상이다."

인상파 화가인 모네는 1862년부터 1866년까지의 작품에서 몇 가지 특징적인 요소를 보였습니다. 인상파는 당시에는 매우 혁신적인 운동으로 여겨졌으며, 이후의 현대 미술에 큰 영향을 끼쳤습니다. 모네가 그린 인상주의 그림의 특징은 대표적으로 '인상주의'라는 이름에서 알 수 있듯이, 현실의 물체나 상황의 고유성을 담기보다는 한순간 '인상'을 담으려는 것입니다. 이에 따라 그의 그림은 보통 색감과 빛과 그림자의 조합에 초점을 맞추며, 자연의 빛과 색의 변화를 표현하는 데 주력했습니다.

첫째, 모네는 자연에서 직접 모티브를 가져와서 그림을 그리는 것을 선호했습니다. 그는 과거의 전통적인 예술에서처럼 고귀하고 규모 있는 주제를 그리는 것이 아니라 일상적이고 일상적인 풍경을 그렸습니다. 이를 통해 그는 자연의 아름다움과 삶의 평범함을 동시에 표현했습니다.

둘째, 모네는 강조된 색상과 빛의 사용을 통해 묘사를 강화했습니다. 그는 자연의 빛과 색상을 사실적으로 재현하면서도 동시에 그림의 감정적인 내용을 강조하기 위해 색조의 강도와 대비를 높이는 것을 좋아했습니다. 이를 통해 그는 자연의 아름다움을 강조하고, 빛과 색상의 마법적인 힘을 살렸습니다.

셋째, 모네는 붓의 터치와 붓질 기술을 이용해 더욱 강렬하고 생동감 있는 효과를 냈습니다. 그는 자연의 느낌을 최대한 전달하기 위해 미묘한 선명도와 표면 질감을 활용하여 풍경을 더욱 생동감 있게 표현했습니다.

모네는 1874년에 파리에 열린 "제1차 인상파 전시회"에서 중요한 역할을 했습니다. 이 전시회는 현대 예술에 큰 영향을 끼친 역사적인 전환점으로 여겨집니다. 모네는 이 전시회에서 〈일출〉이라는 작품을 전시했습니다. 이 작품은 해가 떠오르는 동해안을 그린 것으로, 인상파 화가들이 추구하는 색채의 조화와 빛의 표현에 대한 대표적인 예시로 자리매김했습니다. 모네의 인상파 작품들은 현대 예술사에서 중요한 위치를 차지하며, 그의 작품은 많은 예술가와 관객들에게 큰 영감을 주었습니다. 모네는 인상파 운동을 통해 혁신적인 시각적 언어를 제시하면서, 사회와 문화의 변화를 선도하였습니다.

풀밭 위의 점심

〈풀밭 위의 점심〉은 1866년에 그려진 작품으로, 인상파 운동의 대표작 중 하나입니다. 이 작품은 프랑스 시골의 한 풀밭에서 먹는 피크닉 장면을 그린 것으로, 푸른 하늘과 푸른 풀 사이에 무심하게 앉아 있는 여인과 남자, 그리고 그들 주위에 무성한 자연을 생생하게 담아냈습니다. 이 작품은 그 당시의 전통적인 조형적인 미학을 거부하면서도, 새로운 시각적 언어를 제시하였습니다. 모네는 그림 속의 사물들을 디테

〈풀밭 위의 점심, 클로드 모네, 1866~7년〉

일하게 그리는 것이 아니라, 색채와 빛의 조합으로 묘사하였습니다. 그리고 그림 전체를 둘러싼 차분한 분위기와 함께, 일상적인 순간을 아름답고 평온하게 담아내었습니다.

〈풀밭 위의 점심〉은 그림을 보는 사람들에게 새로운 시각적 경험을 선사하였으며, 이후 수많은 예술가에게 큰 영감을 주었습니다. 또한, 이 작품은 모네의 작품 중에서도 가장 유명하고 사랑받는 작품 중 하나로 손꼽힙니다.

한편, 이 작품을 그린 모네는 작업을 진행하면서 여러 번 그림을 다시 그려야 했습니다. 그 이유는 날씨와 빛의 변화 때문인데, 모네는 그림에 묘사되는 빛과 그림 전체의 분위기를 유지하기 위해 동일한 장소에서 여러 번 그림을 그려야 했습니다. 이러한 작업 방식은 인상파 운동의 특징 중 하나인 순간적인 느낌을 살리기 위한 방식으로, 모네는 이 작품을 통해 이러한 작업 방식을 극대화하였습니다.

생타드레스의 테라스

〈생타드레스의 테라스〉는 1867년에 그려진 작품으로, 인상파 운동의 대표작 중 하나입니다. 이 작품은 프랑스 생타드레스에서 바라본 해안의 풍경과 함께, 여인과 남자들이 앉아있는 카페 테라스를 그린 것입니다. 작품에서는 햇빛과 그림자의 조화, 그리고 다양한 색채의 조합으로 인상적인 분위기를 연출하였습니다. 그림 속 인물들의 얼굴은 불분명하게 그려져 있지만, 그들의 자세와 의상은 매우 세밀하게 묘사되어 있습니다. 이러한 작업 방식은 모네의 대표적인 특징인 '빛의 연출'과 '색채의 조화'를 표현하였습니다.

　이 작품은 모네가 생전에 가장 많은 시간을 보낸 지역 중 하나인 생타드레스에서 그려졌습니다. 모네는 이 작품을 그리면서 자신만의 특유의 작업 방식을 발전시키고, 인상파 운동을 이끌어가는 데 큰 역할을 했습니다. 의자에 앉아 해변을 바라보는 한 남자의 시선을 잡아낸 이 작품은 보는 이에게 영혼이 씻기는 듯한 감미로운 체험을 안겨줍니다. 햇빛을 받은 바다 풍경을 따라 순간마다 다른 색깔이 물결처럼 일렁입니다. <생타드레스의 테라스>는 이후 다양한 작가들에게 큰

<생타드레스의 테라스, 클로드 모네, 1867년>

영감을 주었으며, 이 작품에서 나타난 인상주의적인 요소는 모네가 후속 작품들에서 지속적으로 사용하게 됩니다.

  클로드 모네의 인상파 그림은 삶 속에서 일상적인 것들을 더 깊이 바라보고, 감각적으로 느끼며 살아가는 것이 중요하다는 것을 깨닫게 될 수 있습니다. 그 당시의 전통적인 예술 표현 방식에서 벗어나, 실험적인 예술적 표현의 가능성을 보여주었습니다. 현대인들도 이러한 예술적 자유를 추구하며, 새로운 시도와 창작을 시도할 수 있습니다. 그 림들을 통해 우리는 자연의 아름다움을 더 깊이 느낄 수 있으며, 동시에 자연을 보호하고 지키는 것이 얼마나 중요한지 깨닫게 됩니다. 인상파 운동은 프랑스뿐 아니라 유럽의 다양한 문화와 예술적 전통을 수용하고자 하였습니다. 현대인들도 서로 다른 문화와 예술적 전통을 수용하며 대화하고 협력하는 것이 중요하다는 것을 배울 수 있습니다.

모네의 뮤즈, 카미유

•
•
•

"나의 작품은 바로 내 삶의 일부이다." -클로드 모네

모네는 자신의 여자 친구인 카미유(Camille Doncieux)를 모델로 삼았습니다. 모네와 카미유는 그 당시 젊은 연인으로서 함께 생활하면서 여러 작품에서 모델과 화가의 관계를 이어갔습니다. 그리고 1879년에 두 사람은 결혼하게 되었습니다. 그들의 결혼 생활은 가난과 카미유의 질병으로 고통스러운 시간을 보냈습니다. 하지만 그들은 서로를 사랑하면서도, 모네는 카미유를 자기 작품에서 계속해서 모델로 그렸습니다.

일본 의상을 입고 있는 카미유

클로드 모네의 〈일본 의상을 입고 있는 카미유〉는 1875년에 제작된 작품으로, 모네의 연인이자 모델이었던 카미유를 일본의 전통 의상으로 표현한 작품입니다.

<일본 의상을 입고 있는 카미유, 클로드 모네, 1867년>

모네는 이 작품에서 일본의 전통 의상인 기모노(kimono)를 입은 카미유를 화면 가운데에 위치시켰습니다. 당시 프랑스에서 대중적으로 이뤄졌던 일본 문화 열풍의 영향, 자포니즘(Japonism, 이는 19세기 중후반 유럽에서 유행하던 일본풍의 사조를 지칭하는 말) 열풍을 희극적으로 묘사했다고 볼 수 있습니다. 모네는 일본의 인쇄물을 매우 좋아했는데, 그들의 강렬한 색채와 선명한 라인이 그의 작품에 큰 영향을 미쳤습니다. 이후 프랑스 미술계에서 일본 미술의 영향이 크게 나타나게 되는데, 모네의 이 작품은 이러한 흐름에서 중요한 위치를 차지하고 있습니다.

자포니즘은 19세기 후반 프랑스 예술계에서 떠오르는 운동으로, 자연을 직접적으로 관찰하고 그것을 자기 작품에 반영하는 것을 중요시하는 것이 특징입니다. 이 운동에서는 명암 대신에 색채와 빛의 연출에 집중하며, 그 결과 자연과 사물의 묘사에 있어서 이전까지는 보지 못했던 혁신적인 시도를 선보였습니다. 모네 역시 이러한 자포니즘의 영향을 크게 받아서 그의 작품에는 자연의 빛과 색채가 녹아 들어가 있습니다. 모네는 물 위에서 빛이 반사되는 모습이나 풀밭의 푸른 풍경 등을 표현할 때 색채와 빛의 연출에 매우 주목했으며, 이를 통해 자연을 더욱 생생하게 묘사해 냈습니다. 모네는 자포니즘의 영향을 크게 받아서 프랑스 미술계에 큰 변화를 가져온 인상주의적인 화가로 인정받게 되었습니다.

양귀비 들판

〈양귀비 들판〉은 1873년에 제작된 작품으로, 그의 대표작 중 하나입니다.

클로드 모네의 〈양귀비 들판〉은 1873년에 그려진 작품으로, 그의 대표적인 작품 중 하나입니다. 이 작품은 프랑스의 아르주 지방의 시골에 위치한 모네의 집 근처에서 그려졌습니다.

모네는 자연을 그리는 것을 좋아했으며, 특히 꽃과 풍경을 그리는 것을 즐겨했습니다. 이 작품은 봄철에 양귀비가 만개하는 들판을 그린 것으로, 그의 자연주의적인 스타일을 잘 대변합니다. 양귀비 들판을 배경으로 하여, 조명과 색채를 강조하는 기법을 사용한 이 작품은 자연을 그대로 그리는 것이 아니라, 자연에서 느껴지는 빛과 색채를 재현하여 작품에 생동감을 불어넣었습니다. 그 결과, 이 작품은 빛과 그림자, 색채의 조화로운 조합으로 만들어진 아름다운 풍경화로 자리 잡게 되었습니다.

〈양귀비 들판〉은 모네의 작품 중에서도 대표적인 작품 중 하나로, 현대 미술사에서는 다양한 분야에서 모네의 창조성과 예술적 업적을 인정받고 있습니다. 이 작품은 그가 자연을 사랑하고, 자연의 아름다움을 그의 작품으로 표현하고자 하는 의지와 열정을 보여주는 대표작 중 하나입니다. 이 작품에서 가장 인상적인 점은 모네의 색채표현입니다. 모네는 강렬하면서도 섬세한 색채를 사용해 양귀비들의 색상과 빛의

<양귀비 들판, 클로드 모네, 1873년>

반사를 표현했습니다. 특히, 밝은 햇살이 들판 위를 비추면서 만들어지는 그림자와 빛의 변화를 표현하는 데 많은 노력을 기울였습니다.

양귀비는 백합과 함께 모네가 가장 좋아했던 꽃 중 하나로, 이 작품에서는 밝은 보라색, 분홍색, 노란색 등 다양한 색상으로 표현되어 있습니다. 모네는 이 작품에서 꽃을 생생하게 그리기 위해 몇 번이나 양귀비 밭을 찾아다녔다는 이야기도 있습니다. 이 작품은 특히, 인상주의적인 화풍과 색채 표현법을 활용하는 작가들에게 큰 영감을 주었습니다. 이러한 이유로, <양귀비 들판>은 모네의 대표작 중 하나로 평가되고 있습니다.

양산을 든 여인

1875년 작품 〈양산을 든 여인〉은 모네가 프랑스 북서부 지방 아르주아지르 지역에서 그린 작품 중 하나입니다. 이 작품은 현재 파리의 오르세 미술관에 소장되어 있으며, 모네의 대표작 중 하나로 꼽히고 있습니다. 이 작품에서 가장 인상적인 점은 모네의 색채표현입니다. 모네는 양산의 노란색을 그림 전체에서 화려하게 사용하면서, 배경의 자연적인 색조와도 조화를 이루게 했습니다. 특히, 작품 전체에 퍼져 있는 빛의 반사와 그림자 표현이 매우 섬세하게 그려져 있습니다.

〈양산을 든 여인〉은 모네가 인상주의 운동을 이끌며 그린 대표작 중 하나로, 자연을 그대로 담아내는 것을 목표로 하며 자연의 색채와 빛의 변화를 담아내는 데 초점을 맞추었습니다. 이를 위해 모네는 다양한 브러시와 색상을 사용해 그림을 완성했습니다.

<양산을 든 여인, 클로드 모네, 1875년>

어둠에 빛나는 새로운 시작

.
.
.

모네는 〈시골을 지나가는 기차〉를 시작으로 〈아르장퇴유의 철도교〉를 여러 버전으로 그렸고, 무엇보다 다양한 시점과 빛의 효과를 보여주는 파리의 〈생 라자르 역〉을 연작으로 제작했다. 모네는 생 라자르 역의 모습을 담은 작품 중 일곱 점을 1877년에 개최된 세 번째 인상주의 전시회에 출품했다. 이 작품들은 동일한 모티프를 다양한 빛과 색채로 채운, 모네의 최초 연작이 되었다.

"매일 나는 더 아름다운 모티브를 찾아내고 있다. 그 모티브가 나를 미치게 만들어 내 머리가 폭발해 버릴 수만 있다면 무슨 일이든지 다 하고 싶은 심정이다."

생 자르 역, 기차의 도착

모네의 〈생 라자르 역, 기차의 도착〉은 1877년에 그려진 작품으로, 초반에는 관객들로부터 좋은 반응을 얻지 못했습니다. 작품 전체가 모호하고 애매모호한 느낌을 준다는 평가를 받았기 때문입니다.

<생 라자르 역, 기차의 도착, 클로드 모네, 1877년>

그러나 이후, 인상주의 예술의 대표작으로 인식되기 시작하면서 많은 사람들로부터 찬사를 받게 되었습니다. 이 작품은 불안한 분위기를 연출하기 위해 다양한 기술적 요소들이 사용되었습니다. 모네는 산호색의 색조합을 사용해 적막한 기차역을 표현하였고, 기차가 들어오는 순간의 흥분과 혼란스러움을 표현하기 위해 작품 전체에 짙은 연기와 승객들의 소리와 움직임을 드러내었습니다.

인상주의 예술의 기본적인 개념인 "자연 속에서 빛과 색채의 변화"를 연구하면서 그린 작품 중 하나이며, 그의 후기 작품 중에서도 가장 유명한 작품 중 하나입니다. 작품이 그려진 당시에는 기차역이나 기차 자체가 인상주의 작가들의 관심사로 다뤄진 주제가 아니었습니다. 그러나 모네는 이 작품에서 기차역을 선택함으로써 새로운 시각과 표현 방법을 시도했습니다. 또한 이 작품에는 모네의 아내 카미유가 기차를 타고 오는 모습도 담겨있습니다. 그러나 이 작품이 완성된 후, 카미유는 불행하게도 결핵으로 사망하게 됩니다. 모네는 카미유의 죽음에 큰 충격을 받고, 그녀의 사망 이후로는 작품에서 빛과 색채의 변화를 더욱 강조하며 표현하게 됩니다.

에트르타 만포르트

모네의 〈에트르타 만포르트〉는 1870년대 말 프랑스의 해외 휴양지인 노르망디 지방의 해변 풍경을 주제로 한 작품입니다. 그러나 모네는 이 작품을 10년 이상의 시간을 거쳐 여러 차례 재방문하며 그렸습니다.

1886년 모네는 에트르타 만포르트를 다시 찾아 그림을 그렸는데, 이 작품에서는 이전 작품과는 달리 해변을 바라보는 모습이 아니라 해안선을 따라 나아가는 모습을 그렸습니다. 또한 이전 작품에서는 주로 푸른색 조화가 강조되었다면, 이번 작품에서는 주로 붉은색과 노란색의 톤이 강조되며, 대조적인 빛과 그림자의 표현이 더욱 두드러집니다. 이 작품은 모네가 자연의 변화를 살피고, 자연에서 느껴지는 빛과 색채를 담아내는데 더욱 집중하면서 그린 작품으로, 모네의 인상주의 화가로서의 표현방법이 더욱 발전한 것을 볼 수 있습니다.

모네가 1883년에 그린 〈에트르타 만포르트〉는 프랑스 북서부 해안에 위치한 해변 마을인 에트르타에서 그려진 작품입니다. 이 작품에서 두드러지는 것은 바로 코끼리 절벽으로, 거대한 암석이 파도에 맞추어 우뚝 솟아있는 모습이 그려져 있습니다. 작품 속의 파도와 하늘은 부드러운 연필로 묘사되어 있으며, 코끼리 절벽의 거친 암석은 붓으로 두껍게 칠해져 있습니다.

<에트르타 만포르트, 클로드 모네, 1883년>

에트르타는 당시 명실공히 유럽에서 가장 유명한 관광지 중 하나였으며, 모네 역시 이곳을 방문하여 작품을 그렸습니다. 모네는 코끼리 절벽을 담은 이 작품을 그리면서 그의 미래를 걱정하고 스트레스를 받았습니다. 그 당시 그는 부채질에 빠져 있었고, 아내 카밀로티와 자녀들의 건강 상태도 좋지 않았습니다. 이런 감정적인 문제들로 인해 그가 그린 〈에트르타 만포르트〉 작품은 어두운 분위기를 띄고 있습니다. 그러나 그의 기교적인 빛과 색감의 조합은 이 작품이 그의 대표작 중 하나로 평가되는 이유 중 하나입니다.

모네가 〈에트르타 만포르트〉를 그릴 때는 여러 감정을 느끼고 있었습니다. 당시 그는 부채질에 빠져 있었고, 아내와 자녀들의 건강이 좋지 않았습니다. 이런 감정적인 문제들로 인해 그는 스트레스를 받았고, 자신의 미래에 대한 불안감도 느꼈습니다. 이런 감정적인 상태에서 〈에트르타 만포르트〉를 그리면서 그 작품 안에 그의 감정이 고스란히 반영되었습니다. 작품의 분위기는 어두운 감성을 띄고 있으며, 작품 속의 파도와 하늘은 부드러운 연필로 묘사되어 있습니다. 반면 코끼리 절벽은 거친 암석으로 표현되어 있습니다. 이러한 작품 구성은 모네의 불안한 감정과 대조적입니다. 그러나 그의 기교적인 빛과 색감의 조합은 이 작품이 그의 대표작 중 하나로 평가되는 이유 중 하나입니다.

〈에트르타 만포르트〉를 그린 1880년 경은 프랑스 경제가 불안정한 시기였습니다. 1870년대 후반 프랑스는 유럽의 다른 국가들과 함께 경제적 불황에 직면하게 되었고, 이로 인해 식량 부족과 일자리 감소 등의 문제가 발생했습니다. 특히 모네가 거주한 파리에서는 재정적인 어려움으로 인해 물가가 상승하고 일자리가 줄어들었습니다. 또한 1870년대 후반에는 프랑스가 독일과의 전쟁으로 인해 엄청난 손실을 입었고, 이로 인해 국가 경제의 어려움이 길어졌습니다. 이 시기에 모네는 예술가로서도 경제적인 어려움을 겪었으며, 작품의 판매와 수익이 불안정했습니다. 이러한 경제적인 여건이 모네의 작품에 반영되는 요인 중 하나이기도 합니다.

모네, 지베르니의 정원사

●
●
●

"나는 늘 정원에서 사랑하는 마음으로 일한다. 나에게 가장 필요한 것은 언제나 꽃뿐이다."

  지베르니는 로마의 지배를 받았던 갈리아 시대의 유적들이 남아 있는 오래된 도시입니다. 1883년 초, 기차를 타고 가던 모네는 우연히 이 아름답고 웅장한 도시를 보고 한눈에 반해 당장 이사하기로 결심했습니다. 1890년 모네는 지베르니에 주택을 구입하고, 본격적으로 집과 정원을 꾸미는 데 열중합니다. 이웃의 집을 사들이며 대지를 점차 넓혀갔고 정원 역시 거대해져 갔습니다. 정원사도 따로 두어 엄격하게 관리했습니다. 이웃들은 이런 모네의 행동을 못마땅해했습니다. 하지만 모네는 계속해서 주민들과 당국을 설득했고, 대대적인 정원 확장 공사를 통해 강물을 끌어와 큰 연못을 만들기에 이릅니다. 그 결과 수련 연못의 면적은 1천 제곱미터 정도가 되었습니다.

모네는 정원을 가꿀 때, 일본 판화를 통해 알게 된 일본 정원에서 영감을 얻었습니다. 일본식 다리와 수련 외에도 대나무, 벚나무, 버드나무, 은행나무와 각종 희귀한 꽃들을 심어 일본 정원과 비슷한 분위기를 연출했습니다. 여섯 명의 정원사를 둘 정도로 모네는 이 정원에 애착을 보였고, 지베르니를 찾는 방문객들은 하나같이 이 정원을 열정적으로 묘사했습니다. 많은 잡지사가 앞다퉈 이 정원에 대해 논한 것은 당연했습니다.

지베르니의 예술가의 정원

모네의 〈지베르니의 예술가의 정원〉은 1900년에 그린 작품으로, 모네가 프랑스 지베르니 지역에서 살면서 자신의 정원에서 그린 작품 중 하나입니다. 이 작품은 모네가 자신의 정원을 사랑하고 있음을 보여주며, 자연과 인공물의 조화를 표현하고 있습니다. 작품에서는 정원에 있는 꽃들과 나무들이 매우 생생하게 그려져 있으며, 특히 작품 중앙에는 물고기가 있는 연못이 그려져 있습니다. 연못의 물결이 펄럭이며, 매우 자연스럽게 표현되어 있습니다. 이 작품은 인상주의의 대표적인 작품 중 하나로 평가받고 있으며, 모네의 색채감각과 빛의 표현력이 두드러져 있습니다.

모네는 지베르니에서 자신의 정원을 관리하면서 그곳에서 인생의 마지막 시간을 보내려고 생각했습니다. 그는 작품을 통해 이 정원을 영원히 기억하고자 했으며, 이 작품은 그의 마지막 작품 중 하나로

<지베르니의 예술가의 정원, 클로드 모네, 1900년>

알려져 있습니다. 이 작품은 모네가 지상에서의 마지막 작품으로서 매우 감성적인 작품으로 평가받고 있습니다. 모네는 그 당시 건강상의 문제로 매우 힘들었던 시기였습니다. 그는 그림을 그리기 위해 수십 개의 캔버스를 준비하고, 매일 그림을 그리면서 자신의 건강을 유지하기 위해 노력했습니다. 이러한 상황에서도 모네는 자기 작품에 대한 열정을 잃지 않았습니다. 그는 자기 아들을 도와서 작품을 완성하는 데에 많은 노력을 기울였으며, 이 과정에서 자기 아들과 함께 작업을

하면서 매우 감동적인 순간들을 함께한 것으로 전해집니다.

건초더미

　모네의 〈건초더미〉는 1890년부터 1891년까지 그린 작품으로, 프랑스 북서부 지방의 고향인 노르망디 지역에서 그렸습니다. 이 작품은 그의 시리즈 중 하나로, 건초더미를 주제로 한 작품을 여러 번 그려왔습니다. 이 작품은 모네가 자신의 인생에서 가장 좋아하는 작품 중 하나이며, 그의 작업에 대한 열정과 자신의 정신세계를 담아낸 작품으로 평가받고 있습니다.

　〈건초더미〉는 건초 더미가 일몰 시간에 비추는 빛과 그림자의 조합을 아름답게 표현한 작품으로, 자연과 인간이 조화를 이루고 있는 모습을 담고 있습니다. 작품 전체적으로 노란색과 녹색 계통의 색감이 특징이며, 일몰 시간의 분위기를 완벽히 잡아냈습니다. 이 작품을 그리면서 모네는 건강상의 문제로 많은 어려움을 겪었습니다. 건강이 좋지 않았기 때문에 매일 건초더미로 가서 그림을 그리기 위해 오랜 시간을 보내야 했습니다. 이러한 상황에서도 모네는 자신의 작업에 열정적으로 몰입했습니다. 그는 자연과 인공물의 조화를 잘 나타내는 작품을 만들기 위해 많은 시간과 노력을 기울였으며, 이 과정에서 자신의 건강을 유지하기 위해 노력했습니다.

<건초더미, 클로드 모네, 1890~91년>

모네는 이 작품에서 빛과 그림자를 완벽하게 표현하기 위해서 다양한 색채와 브러시를 사용했습니다. 채색을 위해 빛의 변화에 따른 색감을 정확하게 파악하고 적용하는 것이 중요했기 때문에, 모네는 건초더미가 노출된 시간대와 날씨의 변화, 햇빛이 건초더미에 비치는 각도 등을 꼼꼼하게 관찰하고 이를 그림에 반영했습니다. 건초더미에 빛이 반사되는 모습을 잘 표현하기 위해 작업을 반복하며 작업했습니다. 이 작업에서는 빛이 건초더미에 반사되는 모습을 정확하게 재현하기 위해, 작품의 배경과 건초더미의 색감을 조금씩 다르게 그려나갔습니다.

자연의 변화를 담아내기 위해 일출이나 일몰 시간대에 자주 작업했습니다. 이 시간대에는 자연의 빛과 그림자, 색감 등이 매우 다양하게 변화하기 때문에, 모네는 이를 그림에 반영하여 작품의 완성도를 높였습니다. 이러한 노력 덕분에 〈건초더미〉 작품은 모네의 대표작 중 하나로 평가받고 있으며, 자연을 사랑하는 모네의 마음이 담긴 작품으로 사랑받고 있습니다.

영원한 빛의 화가

•
•
•

수련

〈수련〉(Waterlilies)은 1904년에 그려진 작품으로, 모네가 자신의 정원에 있는 연못에서 자주 그리는 소재 중 하나입니다. 이 작품은 파스텔 색감과 부드러운 붓질로 구성되어 있으며, 녹음과 물결 소리, 바람 소리가 마치 들리는 듯한 착각을 일으키는 효과가 있습니다.

모네는 〈수련〉 시리즈 작품을 창작하면서, 연못에 떠 있는 물 위에 꽃잎이 반사되는 아름다운 광경을 살아있는 듯한 표현으로 그렸습니다. 이 작품에서는 미묘한 색채 차이와 꽃잎의 모양, 그리고 물의 깊이와 투명도 등을 섬세하게 표현하여, 그림 속의 물과 꽃을 마치 실제로 본 것처럼 느끼게 합니다.

당시 모네는 이미 인상주의 화가로서 유명했으며, 〈수련〉 시리즈 작업을 통해 그가 추구한 자연의 아름다움과 색채의 활용, 인상주의적인 묘사법 등을 대표적으로 보여주고 있습니다. 그리고 이 시기에는 모네의 시력이 나빠져서, 눈이 잘 안 보이기 시작했습니다. 그가 자신의 정원에서 연못을 그리며 몇 시간씩 자연 속에서 작업하기 때문에 눈 건강이 나빠졌습니다. 이러한 상황 속에서 그는 자신의 삶을 투영하며, 자연과 조화롭게 살아가는 방법에 대한 묘사를 이 작품을 통해 표현했습니다.

<수련, 클로드 모네, 1904년>

〈수련〉을 그리는 과정에서 그는 수련이 물 위에서 움직이는 것을 그리기 어려워했습니다. 그러나 그는 그 문제를 해결하기 위해 수련을 물 아래로 가라앉히고, 물결 무늬와 그림자, 물의 광택 등을 강조하여 작품을 완성했습니다.

이러한 작업은 그가 물리적인 노력을 기울인 것뿐만 아니라, 그의 열정과 집착도 포함되어 있습니다. 작품을 완성하려는 그의 열정과 집착은 그가 예술가로서의 역량과 집중력을 보여줍니다. 그는 작품을 완성하기 위해 자신의 시야를 넓히고, 다양한 각도와 방법으로 수련을 그려보았습니다. 이러한 노력과 집중력은 그의 작품을 완성하고자 하는 열정과 집착의 자연스러운 결과였습니다.

모네는 이러한 열정과 집착으로 인해 다른 인상주의 화가들과 차별화되는 작품을 만들어 냈습니다. 그의 작품은 늘 자연에서 영감을 받아 새로운 시각으로 표현되며, 그의 열정과 집착이 느껴지는 작품들은 그의 예술적인 역량과 그의 인생에 큰 영향을 주었습니다. 따라서, 모네의 〈수련〉은 그의 열정과 집착으로 인해 완성되었으며, 그의 예술가로서의 역량을 보여주는 작품 중 하나입니다.

〈수련〉은 모네의 대표작 중 하나로, 자연의 아름다움과 그의 삶의 철학을 담은 작품으로 평가되고 있습니다.

수련-아침

〈수련-아침〉은 1914년부터 1926년까지 모네가 작업한 시리즈 중 하나입니다. 이 작품은 〈수련〉 시리즈와 마찬가지로 모네가 자기 집 근처에 위치한 연못에서 영감을 받아 그려진 작품입니다.

모네는 수련을 매우 좋아했고, 이를 그림으로도 자주 그렸습니다. 이 작품은 모네의 노화와 건강 악화로 인해 그가 작업을 중단하고 다시 시작하는 사이에 그려졌습니다. 이 시기에 모네는 건강이 좋지 않았고, 70대 후반에 이르러서도 작업을 계속하면서 자신의 예술적 발전을 이룩하고자 노력했습니다.

〈수련-아침〉 시리즈는 이전의 〈수련〉 시리즈보다 더욱 추상적이고, 모네의 노화와 시력의 악화로 인해 흐릿한 표현이 많이 나타나며, 색채는 더욱 다채롭고 화려해졌습니다. 물 위에 떠 있는 수련의 잎과 꽃, 물결 등을 부드럽고 강렬하게 표현하여 자연의 아름다움과 감성을 그림에 담았습니다.

〈수련-아침, 클로드 모네, 1914년〉

그는 이 작품들을 하나의 큰 벽화처럼 계속해서 연작화하였습니다. 그의 목표는 물의 표현을 완벽하게 재현하면서도 물 위에 떠 있는 수련의 아름다움과 미적인 요소를 표현하는 것이었습니다.

이 시기에 모네는 이미 건강이 매우 좋지 않았지만, 자연에 대한 그의 애정과 예술적 열정은 여전히 강하게 남아 있었습니다. 이 작업을 통해 그는 자기 인생의 끝을 다해 예술을 창조하고자 하는 열망을 이루었습니다. 모네의 노화와 건강 악화와 같은 현실적인 상황에서도 그가 여전히 자연과 예술에 대한 열정을 유지하고, 예술적 발전을 이루어 낸 것을 보여주는 작품으로 평가되고 있습니다.

모네는 그의 작품과 삶을 통해 현대인들에게 많은 가치 있는 가르침을 줍니다. 그의 열정과 예술적 비전, 노력과 열심히 일하기, 자연과 조화롭게 살기, 낙관적인 태도와 상호작용 등 다양한 가치를 배울 수 있습니다. 또한 모네의 작품은 자연과 인간의 조화, 아름다움과 감성, 풍경과 색채, 시간과 변화 등 다양한 주제를 담고 있어 현대인들에게도 여전히 큰 영감을 제공합니다.

클로드 모네는 불안정한 경제적 상황과 변화무쌍한 인생의 변화에도 불구하고 예술을 계속해서 열고 있는 끈기와 열정의 모습입니다. 그의 작품은 자연과 인간의 조화를 표현하며, 자연이 인간에게 주는 영감과 감동을 전달합니다. 이를 통해 그의 작품은 우리가 자연을 더욱 존경하고 사랑하게 만들어 줍니다. 또한 그의 작품은 자연을 단순히 그리는 것이 아니라, 빛과 색상의 변화를 통해 자연의 아름다움을 묘사하고 있으며, 이는 인문학적인 가치를 담고 있다고 할 수 있습니다.

모네의 작품은 또한 그의 정신세계를 담고 있습니다. 그는 독창적인 그림 기법을 사용하며, 자신만의 느낌과 감각을 그의 작품에 담아내었습니다. 이러한 작품들은 그의 창의성과 예술적인 열정을 보여주며, 그의 정신세계와 예술적인 가치를 전달합니다.

그의 작품은 미술사에서 중요한 위치를 차지하고 있으며, 인문학적인 가치와 예술적인 성취를 담고 있습니다. 이를 통해 우리는 자연과 예술, 그리고 인간 삶이 깊은 생각을 할 수 있으며, 클로드 모네의 그림과 삶을 통해 배울 수 있는 인문학적 가치는 다양합니다.

클로드 모네로 배우는 인문학적 가치

•
•
•

자연의 아름다움에 대한 존중과 감사

모네는 자연을 그리는 것을 인생의 목적으로 삼았습니다. 그는 자연의 아름다움과 빛의 변화에 대한 감성적인 태도를 그의 작품에 담아냈습니다. 이를 통해 우리는 자연의 아름다움과 빛의 변화에 대한 존중과 감사의 마음을 가질 수 있습니다.

예술적 창조와 탐구의 과정에 대한 이해

클로드 모네는 예술적 창조와 탐구의 과정에서 많은 노력과 시간을 쏟았습니다. 그는 자신의 그림에 대해 매우 자신감이 넘치며, 예술적인 열정과 집중력을 가지고 있었습니다. 이를 통해 우리는 예술적인 창조와 탐구의 과정에서 끊임없는 노력과 열정을 가지는 것의 중요성을 배울 수 있습니다.

자유로운 창작과 독창성의 가치

클로드 모네는 자신만의 규칙에 따라 자유롭게 창작하는 방식을 선호했습니다. 그는 예술을 배우는 데 있어서 학교 교육을 받지 않았지만, 자신만의 방식으로 계속해서 연습하고 발전시켰습니다. 이를 통해 우리는 자유로운 창작과 독창성의 가치를 배울 수 있습니다.

자기 비판적인 태도와 지속적인 발전의 의지

클로드 모네는 자기 작품에 대해 매우 자기 비판적이었습니다. 그는 자신의 그림이 과하게 된다고 느낄 때, 칼로 자신의 그림을 찢는 등, 그림을 파괴하기도 했습니다. 이는 그가 항상 자기 작품을 개선하려는 의지가 있었기 때문입니다. 이를 통해 우리는 자기 비판적인 태도와 지속적인 발전 의지의 중요성을 배울 수 있습니다.

인간과 자연의 조화에 대한 이해와 감성

클로드 모네의 작품은 자연과 인간의 조화를 표현하며, 자연이 인간에게 주는 영감과 감동을 전달합니다. 이를 통해 우리는 인간과 자연의 조화에 대한 이해와 감성을 배울 수 있습니다. 또한 그의 작품은 자연의 아름다움과 빛의 변화를 새롭게 경험하게 해주며, 우리에게 자연을 더욱 사랑하게 만듭니다. 작품은 우리에게 많은 영감을 줍니다.

모네는 자신의 예술적인 비전을 추구하면서도 현실적인 문제와 고민을 마주쳤습니다. 하지만 그는 이를 극복하며 자신만의 예술적인 세계를 창조해 냈습니다. 현대인들은 모네와 같이 현실적인 문제와 고민을 마주하면서도 자신만의 비전과 목표를 가지고 끊임없이 노력하는 태도를 배워야 합니다.

모네의 작품과 삶은 현대인들에게 여전히 큰 영감을 제공합니다. 그의 열정과 예술적 비전, 노력과 열심히 일하기, 자연과 조화롭게 살기, 창의적인 사고와 실험적인 태도, 인내와 근성, 상호작용과 협력, 영감과 희열을 추구하는 태도 등 모든 것이 현대인들이 가지고 있어야 할 소중한 가치와 태도들입니다.

자연의 아름다운 변화와 빛을 사랑한 빛의 마스터, 클로드 모네
19세기 말부터 20세기 초반까지 활동하면서, 영원히 사랑받을 작품들을 많이 만들어 냈다는 것이 그의 큰 업적 중 하나입니다.

모네의 작품은 자연을 그대로 표현하는 것이 아니라, 자연을 시적인 감성으로 표현하는 것이 특징입니다. 그는 자연을 주요한 주제로 삼으면서도, 감정과 미적인 재미를 동시에 담아내는 것을 목표로 하였습니다. 이러한 작업 방식은 그가 대표하는 인상주의 예술과 깊은 연관성이 있으며, 그의 작품은 이후의 예술에 큰 영향을 미쳤습니다.

또한, 모네는 끊임없이 자신의 작업 방식과 기술적인 면모를 발전시키는 데 매우 열정적이었습니다. 그는 자신의 작업 방식을 발전시키기 위해, 빛과 색채의 변화를 자세히 관찰하고 실험하는 등, 많은 노력을 기울였습니다. 이러한 노력과 열정은 그의 작품에 큰 영향을 미쳤으며, 그의 예술가로서의 역량을 발전시키는 중요한 요소였습니다.

따라서, 클로드 모네는 그의 화가 인생을 통해 자연을 주요한 주제로 삼으며, 감성과 미적인 재미를 동시에 담아낸 작품을 만들어내는 등, 혁신적인 작품과 작업 방식으로 화가로서의 역량을 발휘하였습니다. 그의 예술은 이후의 예술에 큰 영향을 미쳤으며, 현재까지도 많은 사람들에게 사랑받고 있습니다.

그림책

인생수업

김준희 원장
(마음길교육원)

1. 손해 보는 느낌이 들어요
- 《큰 늑대 작은 늑대》 올리비에 탈레크 글 그림

"다른 이들에게 통하는 다리를 놓은 사람들은 운명이 매정하게 굴더라도 비교적 안전하고 행복한 상태로 지낼 수 있다." -**알프레드 아들러**

인류 역사를 살펴보면 결혼과 출산으로 가족구성원이 되는 것이 여자에게 행복한 삶만을 보장하지는 않았습니다. 메릴린 옐롬은《아내의 역사》에서 여성과 결혼을 정의합니다. "여성에게 결혼이 무조건적인 축복은 아니었다. 결혼은 자유를 포기하고 남편의 노예가 된다는 것을 의미했다. 그것은 남편의 권위와 변덕 그리고 그의 주먹질을 받아들인다는 것을 뜻했다. 또한 결혼은 불행한 결혼생활 속에서 아내들이 겪을 끊임없는 정신적 긴장의 잠재적 위험을 의미했다."

고대 국가에서 아내는 가축이나 노예처럼 남편 재산의 일부로 여겨졌고, 중세도 여성에게 결혼은 남편이 아내의 주인이 되는 공식적인 의례였습니다. 근대에도 여성의 운명과 지위는 전적으로 남편의 신분에 따라 결정되었습니다. 프랑스혁명 이후 신분제가 폐지되었음에도 여성의 인권은 큰 변화가 없었습니다. 여성이 한 인간으로 인정받은

<벳놀이, 커셋 1894>

역사는 짧습니다. 우스개 소리로 요즘 남자들이 하는 말이 있습니다. "내가 조선시대에 태어났더라면….'' 모든 관계에 영원한 갑과 영원한 을은 존재하지 않습니다.

감정 공부, 사랑

어떤 사람이나 존재를 몹시 아끼고 귀중히 여기는 마음, 어떤 사물이나 대상을 아끼고 소중히 여기거나 즐기는 마음, 남을 이해하고 돕는 마음, 이 세 가지 개념이 바로 '사랑'입니다.

유대인 종교철학자 마르틴 부버는 사랑은 "나너 관계"를 중요한 개념으로 보았습니다. 관계란 상대방을 대상으로 존중하고 이해하는 관계를 의미합니다. 관계를 통해 나와 상대의 존재가 상호관계를 형성한다고 보았습니다. 관계를 통해서 일어나는 대화는 상대의 내면 세계를 이해하는 단서가 되고, 상대를 이해하고 존중하는 과정을 통해 진정한 사랑이 가능하다고 보았습니다.

사랑에는 이성적인 사랑과 감성적인 사랑으로 구분하는데, 이성적인 사람은 상대방에 대한 욕구와 만족에 초점을 맞춘 사랑이고, 감성적인 사랑은 상대를 이해하고 존중하는 과정을 거쳐 진정한 사랑이 형성된다고 보았습니다. 부버는 사랑의 철학을 통해 모든 관계에서 자유로워질 수 있고 이는 곧 삶을 풍요롭게 한다고 주장합니다.

그림책 테라피

우리는 사랑해서 결혼합니다. 결혼으로 서로에게 남겨지는 대표적인 두 가지 감정은 '감사'와 '후회'라고 합니다. 그렇다면 '나에게 사랑은 어떤 의미일까?'라고 고민이 된다면 그림책 《큰 늑대 작은 늑대》를 만나 보세요.

큰 나무 아래서 혼자 사는 큰 늑대는 언덕 아래에 보이는 점 하나에 긴장합니다. 저기 멀리 보이는 점 하나가 행여 자신보다 몸집이 크다면, 자신보다 나무를 잘 탄다면, 힘이 세다면 어떻게 해야 하나 두려움이 생깁니다. 가까이 가 보니 자신보다 작은 늑대에 안도합니다. 둘은 어떠한 대화도 하지 않습니다. 서로 눈치만을 볼 뿐, 큰 늑대는 항상 자신보다 작은 늑대가 능력이 뛰어날까 봐 불안해합니다.

둘은 하룻밤을 함께 보냅니다. 큰 늑대는 아침 운동으로 나무타기를 합니다. 큰 늑대를 따라 작은 늑대가 나무를 따라 오르고 있습니다. 큰 늑대는 작은 늑대가 자신보다 나무를 잘 타면 어쩌나 걱정했고, 나무타기에 서툰 작은 늑대를 보며 다행이란 마음과 안타까운 마음 두 감정이 생깁니다. 신기했습니다.

큰 늑대는 작은 늑대를 혼자 두고 숲속을 다녀옵니다. 숲속에서 볼일을 보고 돌아오는데, 큰 나무 아래로 빨리 오고 싶단 생각을 했습니다. 저 멀리 나무가 보이는 곳까지 달려왔으나, 작은 늑대가 보이지 않았습니다. 멀어서 그런 건가 하고, 더 빨리 달려왔습니다. 작은 늑대는 온데간데없고 나무만 덩그러니 서 있었습니다.

큰 늑대는 태어나 처음으로 공허함을 느꼈습니다. 처음으로 식사하지 않았고, 처음으로 아침 운동을 하지 않았습니다. 며칠이 지나도 작은 늑대는 돌아오지 않았습니다. 큰 늑대는 생각했습니다. 작은 늑대를 이기고 싶었던 자신의 이기심 때문에 작은 늑대가 떠난 것은 아닐까 하구요. 큰 늑대는 간절히 소망합니다. 자신보다 몸집이 커지고 힘이 세진 작은 늑대라도 좋으니 다시 돌아만 와달라고 말입니다.

며칠이 지났고 언덕 아래 멀리 점 하나가 서서히 다가옵니다. 큰 늑대는 한 걸음에 언덕 아래까지 달려갑니다. 작은 늑대가 서 있었습니다. 너무 반가워 눈물이 났습니다. "어디 갔었니?" "저기…"라는 한

마디의 소통으로 그림책은 끝이 납니다.

　그림책 작가 올리비에 탈레크는 작은 늑대가 언덕 아래 먼 곳에서 천천히 다가왔듯이, 모든 사랑에는 다가섬의 시간과 정성이 필요하다고 말합니다. 사랑은 당신의 애씀이 상대의 마음까지 서서히 다가서고 있습니다.

인문학 테라피

"사랑은 우리가 존재하는 이유이자 가장 큰 목적이다." **-헤라클레이토스**

　레오 버스카글리아 교수의 명저인 《살며 사랑하며 배우며》에서 "사랑은 저절로 생기는 것이 아니다"라고 말합니다. 사랑은 살며 배우는 것이라 말합니다. 우리가 살면서 상처를 받고 아파하지만, 배움을 통해 진정한 사랑을 할 수 있습니다. 사회와 부모에게서 이미 사랑을 배워 온 사람이라면, 이미 자신이 배운 사랑을 수정하면서 진정한 사랑으로 한 걸음씩 나아가야 합니다. 진정한 사랑은 "나-너" 사이에서 비로소 완성됩니다.

2. 삶이 그대를 속일지라도

-《아나톨의 작은 냄비》 이자벨 카리에 글 그림 -

∙
∙
∙

"희망이란 본래 있다고도 할 수 없고, 없다고도 할 수 없다. 그것은 마치 땅 위의 길과 같은 것. 본래 땅 위에는 길이 없었다. 걸어가는 사람이 많아지면 그것이 곧 길이 되는 것이다." **-루쉰 《고향》**

동양 사상가 공자는 자상하기보다는 엄격한 스승이었습니다. 특히 스스로 한계를 짓는 제자에게는 더욱 엄격했습니다. 공자의 제자 중에 염구라는 사람이 있었습니다. 그는 재능이 뛰어났습니다. 공자가 정치를 맡겨도 괜찮다고 할 정도였습니다. 하지만 염구는 공자를 자주 실망하게 했습니다. 하루는 염구가 공자에게 말합니다. 염구는 자신이 노력하지 않은 것에 대해 변명했습니다.

"선생님, 저는 선생님의 가르침을 싫어하는 것은 아닙니다. 다만 힘이 부족할 따름입니다."

공자는 이렇게 답합니다.

"힘이 부족한 사람은 중도에 쓰러지고 만다. 그런데 너는 지금 스스로의 한계를 긋고 있다."

진짜 힘이 부족하면 쓰러질 수밖에 없지만, 쓰러지는 건 포기가 아닙니다. 그러나 최선을 다한다면, 그것은 하나의 극복이 됩니다. 쓰러질 때까지 무언가에 온 힘을 쏟아냈다는 극복이고 도전이 되는데, 염구는 스스로 쓰러진다는 한계를 긋고 지레 포기하고자 했습니다. 공자는 미리 한계를 정한 염구의 나약함을 지적했습니다.

우리는 운명을 대하는 태도로 삶의 주인이 되기도 하고, 노예가 되기도 합니다. 주인으로 사는 사람은 자신의 삶을 스스로 통제할 수 있다고 믿습니다. 자기 행동과 선택이 꿈을 향해가는 여정이 됩니다.

감정 공부, 자신감

'자신감'은 어떠한 도전이나 어려움에 직면했을 때, 자기 능력과 가능성을 믿음으로써 앞으로 나아가는 힘입니다. 이것은 마치 운명을 꿰뚫고, 무슨 일이든 이겨내고, 꿈을 이루어 나가는 데 필수적인 동력과 같습니다.

자신감은 '자신이 있다는 느낌'을 말하는데, 자기 능력과 가치를 인식하고 믿음을 가지는 상태를 말합니다. 자신감이 생길 때 생기는 대표적인 감정이 기쁨과 흥분, 안도감과 책임감입니다. 자신감이 있는 사람은 도전과 실패를 두려워하지 않고, 도전적인 상황에서도 자기 능력과 경험을 적극적으로 활용할 수 있습니다.

독일의 철학자 프리드리히 니체는 《차라투스트라는 이렇게 말했다》에서 '양심적인 자'라는 인물을 내세워 자신감의 효용성을 설명합니다. 자신을 가두는 실력과 자유롭게 하는 실력의 차이는 '마음속 깊숙한 곳'에 무엇을 품고 있느냐에 따라 달라진다고 보았습니다. 미지에 대한 두려움이 있다면 아무리 실력을 쌓아도 자신감은 가질 수 없다고 말합니다. 불확실한 미래가 두렵다면, 도전하기 전에 자신을 믿는 '자신감'은 장착되었는지 점검해야 합니다.

그림책 테라피

여행을 갈 때 여행지를 정했다면, 무엇을 타고 갈 것인지 이동 수단을 정해야 합니다. 자동차로 이동해야 한다면 연료를 채워야 합니다. 자신감은 여행지까지 가는 자동차의 연료와 같습니다. 자신감은 인생의 목적지까지 갈 수 있는 에너지입니다. 그림책 《아나톨의 작은 냄비》는 에너지가 필요한 우리에게 운명을 대하는 태도를 말합니다.

놀이터에서 미끄럼틀을 타고 있던 아나톨의 머리 위로 빨간 냄비 하나가 하늘에서 '툭' 떨어집니다. 아나톨은 어느 날 갑자기 자신 몸에 붙은 냄비 때문에 이상한 아이로 취급받습니다. 남들보다 느리게 걷고, 움직임이 불편합니다. 친구들의 수군거림에 상처를 받았고, 소리를 지르기도 하고, 친구를 괴롭히기도 합니다. 그러던 어느 날 세상이 너무 싫어집니다. 아무도 보이지 않는 냄비 속으로 꼭꼭 숨어 버립니다.

아나톨은 답답하고 힘들어집니다. 냄비 속에서 고개를 내밀어 보니, 자신과 같이 냄비를 가지고 살아가는 아주머니 한 분을 만납니다. 아주머니는 아나톨처럼 냄비를 불편하게 생각하지 않습니다. 아주머니는 냄비와 살아가는 것이 서툰 아나톨에게 자신의 냄비와 어떻게 잘 살아갈 수 있는지 하나하나 설명해 줍니다. 어떤 날은 주머니가 되고, 어떤 날은 모자가 되고, 어떤 날은 주머니에 쏙 집어넣을 수 있게 되었습니다. 아나톨은 친구들과 마음껏 뛰어놀 수 있었습니다. 사람들도 아나톨을 칭찬해 주었습니다. 그런데 중요한 사실은 아나톨은 예전과 똑같은 아나톨입니다.

인문학 테라피

"당신은 자신의 운명을 찾는 것이 아니라, 그것을 만들어 가는 것이다." **-나폴레온 힐**

자신감은 불확실한 미래를 즐기는 최고의 방법입니다. 자신감은 자신 안에 존재하는 불확실한 부분을 찾아 마주하겠다는 결심입니다. 중국의 속담에 "타인의 경험은 대머리의 빗과 같다."는 말이 있습니다. 자신의 경험만이 스스로 신뢰할 수 있고, 실력을 키울 수 있다는 말입니다. 운명을 대하는 우리의 태도에서 선택과 결정을 혼동하는 경우가 많습니다만, 선택은 논리적이고 합리적인 검토를 통해 불확실성을 최대한 줄인 다음에 할 수 있는 행동인 반면에, 결정은 알아차리기 전에 행동하는 것을 말합니다. 운명은 올바른 선택 여부를 결정할 수 없는 여정입니다. 삶은 '그럼에도' 결정하는 자신감입니다.

3. 단호한 사람이 되고 싶어요
-《귀가 큰 아이》펠렉스 매시 글 그림 -

"네가 원하는 것을 하고, 그것이 다른 사람을 해치지 않는 한, 다른 이들의 생각은 신경 쓰지 말아라." -에피쿠로스

　레고를 향한 사람들의 관심과 사랑은 시대를 뛰어넘는 불문율이 되었습니다. 1932년 덴마크에서 출시된 레고는 최근 회사의 경영 부진 같은 우여곡절을 겪기도 했지만, 현재도 1분에 3만 6,000개꼴로 만들어지고 있으며, 전 세계에서 가장 많은 인기를 얻고 있는 완구입니다. 특히 아이들에게 압도적인 사랑을 받고 있습니다.

　인생은 레고 블록과 닮았습니다. 레고의 인기 비결을 "규칙과 상상력을 동시에 구현하고, 자체적으로는 의미를 갖지 않는 재료들을 모아 의미와 스토리를 만드는 것"이라고 말합니다. 만일 레고가 완제품으로 판매되었거나 몇 조각 안 되는 부품으로 되어 있었다면, 그동안의 인기는 불가능했습니다. 낱개의 부품들에 형태를 부여하고 더 나아가 새로운 의미를 담아 새로운 형태를 만드는 레고처럼 인생도 마찬가지입니다. 우리 안에는 레고 부품처럼 수많은 재능의 조각들과 감정들이 파편처럼 흩어져 있습니다. 인생이란 이러한 여러 가지 재료를 이용하여 의미 있는 형태를 만들어 가는 과정입니다.

감정 공부, 우유부단함

결정을 내리기 어렵거나 결정을 내릴 때 망설이는 모습을 '우유부단함'이라 말합니다. 이런 행동은 일상생활과 인간관계 등 다양한 영역에서 문제가 될 수 있습니다. 우유부단함은 결정이 불안하거나 타인의 평가나 기대에 대한 두려움에서 촉발된 감정입니다. 우유부단함을 극복하기 위해서는 자신이 가진 정보를 정확히 인식하고, 가능한 대안을 체계적으로 고려해서 결정하는 '단호함'이 필요합니다.

프랑스 철학자 알베르 카뮈는 《반항하는 인간》에서 존재의 현실적 탐구는 인간의 자유와 권리를 지키기 위한 우리의 책임을 강조합니다.

"반항하는 인간은 있는 그대로 자신을 지키려고 한다. 반항하는 인간은 단지 자신이 갖지 못했거나 남이 빼앗아 간 재산을 요구하는 것이 아니다. 그가 목표하는 것은 자신이 가지고 있는 그 무엇을 남들로 하여금 인정하도록 하는 데 있다."

살면서 당신을 아무렇게나 대하는 사람을 만나게 됩니다. 그들은 당신을 한 인간이 가진 가능성보다는 지금 '보이는 것'과 '가지고 있는 것'에 주목합니다. 그러나 자신에 대한 진정한 평가는 자신만이 내릴 수 있습니다. 당신을 쉽게 재단하는 사람들을 만난다면 분노할 줄 알아야 합니다. 그것이 진정한 반항이자 우유부단함을 극복하는 단호함입니다.

그림책 테라피

타인의 시선이나 평가가 부담스러워 결정을 미룬 경험이 있으신가요. 남들과 다른 내 생각이 불편할 때 표현하지 못한 경험이 있으신가요? 내 생각과 결정으로 단호한 리더가 되고 싶다면 그림책 《귀가 큰 아이》를 만나보세요.

《귀가 큰 아이》는 런던 국제만화영화페스티벌과 뉴욕 국제필름페스티벌 등에서 상을 받은 작가 펠릭스 매시의 두 번째 그림책입니다. 그림책의 주인공 '짱이'를 통해 자신이 진짜 좋아하는 것이 무엇인지 생각하고, 스스로 결정하는 것이 중요하다는 사실을 말해주는 책입니다.

그림책 주인공 짱이는 귀가 아주 큰 아이였습니다. 뭐든지 잘 들을 수 있었고, 사람들이 원하는 것을 듣고 착한 아이와 좋은 아이로 살고 있었습니다. 어느 날 문제가 생깁니다. 큰 귀 덕분에 너무 많은 말들이 들리고, 금세 머릿속을 채워진 이야기들로 자기 생각대로 선택하고 결정하는 것이 어렵게 됩니다.

짱이에게는 사람들이 많은 거리야말로 끔찍한 장소입니다. 타인의 온갖 말들이 귀를 타고 들어와 어떤 결정이 어려워집니다. 짱이는 시끄

러운 거리 한복판에 서서 두려움에 떨다가 손으로 두 귀를 막아 버립니다. 그 순간 아주 작은 목소리가 들리게 되고, 그 소리에 귀를 기울이게 됩니다. 자신이 무엇을 원하는지 스스로 생각하고 결정하는 자신을 만난 순간입니다.

인문학에서 강조하는 '탁월한 삶'은 남과 구별되는 삶을 말합니다. 세상에 유일한 '나'로 산다는 것은 주인공 짱이가 마지막 장면에 들었던 내 마음의 소리를 들었을 때입니다.

인문학 테라피

"자신을 사랑하고 자신을 믿어라. 당신이 누구인지 알면, 당신은 무엇이든 할 수 있다." - **멘디 헤일**

'미스터 빈(Mr. Bean)'은 영국 코미디 배우 로웬 앳킨슨(Lonwene Atkinson)이 연기하는 캐릭터로, 영국을 비롯한 전 세계에서 사랑받았

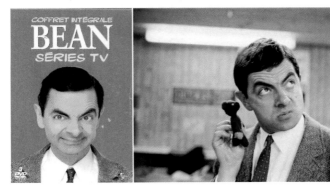

던 코미디 캐릭터입니다. 어릴 때 소년 로웬 앳킨슨은 둔해 보이는 생김새에 말투와 행동도 어눌하기 그지없었습니다. 사람들은 그가 분명히 지능이 낮거나 바보라 생각했고, 문제를 만드는 골칫거리로 생각했습니다. 그러나 그에게는 누구도 따라올 수 없는 탁월한 재능이 있었습니다. 바로 사람들을 웃기는 능력이었습니다. 연기를 어찌나 천연덕스럽게 잘하는지 그가 마음만 먹으면 누구든 배꼽 빠지게 웃게 만들었습니다. 자신의 재능을 깨달은 앳킨슨은 틈날 때마다 재미있는 표정을 연습했고, 온갖 코미디 연기를 섭렵했습니다. 어른이 되었을 때, 그는 바보 멍청이 앳킨슨에서 '미스터 빈(Mr. Bean)'이란 최고의 이미지를 얻게 되었고, 그는 자신의 강점으로 세상을 살아갑니다.

4. 슬픔을 극복하고 싶어요
-《마음이 아플까봐》올리버 제퍼스 글 그림 -

"좋은 그림을 그리기 위해서는 좋은 결정을 내리는 것이 중요하다." -
화가 티모스 챔버스

   장애인 화가 티모시 챔버스는 다양한 작품을 남겼습니다. 30년 이상
의 전업 화가로 활동하면서 많은 초상화와 풍경화를 남겼습니다. 그는
어린 시절 유전질환인 어셔증후군으로 청각과 시각 모두에 손상을 가
진 채 성장했습니다만, 인간의 내면 아름다움을 그림에 담은 유명한
화가로 알려져 있습니다. 바닷가에 서 있는 두 아이를 정교하게 그린
이 작품은 화가로서 절실했던 마음을 담고 있습니다. 티모시는 그림을
그릴 때 전체 장면을 보고 표현하는
데 어려움이 있었습니다. 그는 대상
을 조각으로 나누어 살피고 기억한
다음 화폭에 담는 방식을 선택했습니
다. 그의 작품은 기억에서 끌어낸 유
일한 결과였습니다.

   티모시가 어셔증후군으로 방황하던
시기, 그의 아버지는 티모시게 좋은

롤모델이 되었습니다. 그는 "자신이 어리석다고 느끼는 순간, 겉으로 보이는 장애물이나 막다른 길에 굴복하지 않고 해결 방법을 찾으면 더 강해질 수 있다."는 아버지의 말로 도전할 수 있었습니다.

감정 공부, 슬픔

슬픔은 우리 마음에서 솟아오르는 감정입니다. 이는 삶에서 피할 수 없는 자연스러운 감정으로, 어떤 형태의 손실, 실망, 또는 상처에서 비롯됩니다. 슬픔은 종종 마음이 아픈 것처럼 느껴지며, 우리의 감정을 깊게 다루게 하는 동시에 성장과 치유의 기회를 제공합니다.

슬픔은 특정한 사건이나 상황으로 인해 불쾌하고 우울한 감정을 느끼게 합니다. 현대인들에게 슬픔은 스트레스를 받거나, 실패와 이별을 경험할 때 생기는 대표적인 감정입니다. 슬픔은 일상에서 자주 느끼는 정서 중 하나로 그 자체로는 불편하지만 적절한 대처와 과정을 거치면 성장과 치유의 기회가 됩니다.

유명한 실존주의 철학자 키에르케고르는 슬픔을 인간이 체험할 수 있는 가장 깊은 감정으로 보았습니다. 그는 슬픔은 자아의 깊은 곳에서 비롯되는 것으로 보았으며, 슬픔이 인생에 대한 본질을 고민하게 하는 새로운 지식이자 인식이라 말합니다.

그림책 테라피

어른이란, '몸과 마음이 다 자란 사람'과 '몸과 마음이 다 자라서 자기 삶에 책임지는 사람'이라는 두 가지 개념을 포함합니다. 우리 시대 괜찮은 어른으로 산다는 것은 쉽지 않습니다. 완벽에서 상실로 가는 중년의 어른들이 겪는 어려움 가운데 하나가 상실의 상흔인 슬픔을 견디는 일입니다. 우리가 흔히 사용하는 '괜찮다'라는 말 속에는 '어른이기 때문에 괜찮아야 한다'는 책임을 포함하기도 합니다. 상실의 슬픔을 마주한 어른들에게 그림책 《마음이 아플까봐》를 소개합니다.

영국의 그림작가 올리버 제퍼스는 정갈한 그림과 글로 우리의 마음을 '툭' 건드립니다. 그림책의 시작과 마지막 장면에 등장하는 의자는 상실의 슬픔을 극복하고 '자신의 삶'으로 돌아오는 한 소녀의 성장 스토리입니다.

한 소녀가 있었습니다. 소녀는 사랑하는 할아버지 곁에서 세상에 가득 찬 호기심으로 반짝거렸습니다. 할아버지의 부재로 소녀는 슬픔에 잠깁니다. 혼자가 된 소녀는 마음을 빈 병에 넣어두기로 합니다. "마음이 아플까봐".

소녀는 마음을 병에 넣고 목에 걸었습니다. 그러자 마음이 아프지 않았습니다. 시간이 지날수록 마음을 담아둔 병이 무겁고 불편해졌습니다. 마음을 꺼내고 싶었습니다. 소녀는 병을 던져도 보고, 높은 곳에서 떨어뜨려도 보고, 두드려도 보았지만, 병은 꿈쩍도 하지 않았습니다. 소녀의 마음이 든 병이 바다로 굴러갔습니다. 빈 병은 호기심 많은 작은 아이의 곁으로 굴러갔습니다. 호기심 많은 작은 아이는 병을 여는 방법을 아는 것만 같았습니다. 작은 아이는 소녀의 병을 들어 병 안에 있는 마음을 꺼냈습니다. 그림책은 병에서 꺼낸 마음을 들고 오랜 시간 비워 두었던 빈 의자로 돌아와 잃어버렸던 호기심을 찾는 장면으로 끝이 납니다.

그림책은 우리가 성장하며 만나는 행복, 기쁨에 대한 상실이 얼마나 클 것이며, 이를 어떻게 극복해야 성장할 수 있는지 말해주고 있습니다. 슬픔은 적절한 대처를 통해 자신의 가능성을 바라볼 기회입니다. 《마음이 아플까봐》의 호기심 많은 소녀의 마음을 만나보세요.

인문학 테라피

"슬픔은 우리의 마음이 성장하고 깊어질 수 있는 곳에서 나오는 에너지다." **-칼릴 지브란**

농부들이 농사를 지을 때 심은 곡식보다 심지 않은 잡초가 더 잘 자란다고 합니다. 그래서 농부는 잡초를 뽑는 일에 시간을 많이 할애합니다. 김매기를 한다는 것은 잡초를 뽑는 작업을 말합니다. 잡초인 피는 어릴 때는 생긴 모양이 벼와 흡사하여 구분이 안 됩니다. 그러나 피는 벼보다 훨씬 더 빨리 자라서 어느 정도 시간이 지나면 곧 구분할 수 있습니다. 이때부터 농부들은 한여름 뙤약볕에서 피를 뽑습니다. 피는 벼의 영양분을 빼앗으며, 큰 키로 햇살을 가로막아 벼에게 피해를 주기 때문입니다. 농사를 망쳤다는 말 중에 "피농했다"는 말은 나락 대신 피를 길렀다는 이야기입니다.

벼를 심은 논에 피가 더 잘 자라는 이유는 벼가 필요로 하는 양분은 부족하고, 피가 필요로 하는 양분은 남아돌기 때문입니다. 밀밭에 떨어진 보리는 밀보다 더 잘 자라고, 보리밭에 떨어진 밀알은 보리보다 더 잘 자라는 것과 같은 이치입니다. 삶의 본질을 아는 사람은 농사를 짓는 농부의 마음과 같습니다.

5. 사랑이 시작되었어요
- 《고 녀석 맛있겠다》 미야니시 타츠야 글 그림 -

⋮

"사랑이란 당신이 본래의 모습을 되찾을 수 있도록 돕는 과정일지도 모른다." **-생텍쥐페리**

미국 가정의 일상을 그린 화가 짐 데일리의 작품 <일요일 아침>은 우리가 느끼는 사랑의 감정이 현실과 어떤 거리감이 있는지 적나라하게 보여주고 있습니다.

그림 안에 여인은 이른 새벽부터 잠을 설쳤을 것이고, 부엌 싱크대에는 아침 식사 후 산더미처럼 쌓인 빈 그릇이 즐비해 있을 것입니다. 일요일 아침 아이를 목욕을 시키는 엄마의 표정에서 육아와 가사에 힘든 그녀를 볼 수 있습니다. 그런데 아이 옆에 앉아 있는 엄마는 손가락을 짚어가며 책을 읽는 모습인데, 오늘 꼭 해결해야 할 걱정이 있는 모양입니다. 아이는 이런 엄마의 마음을 알 리 없습니다. 아이가 발을 올려놓은 목욕통은 금방이라도 아수라장이 될 것 같습니다. 그런데도 아이의 곁에 있어 주는 것이야말로 엄마의 사랑입니다.

오래전부터 심리학자와 사회학자, 인류학자들이 사랑은 저절로 생기는 것이 아니라, 배움을 수반한 능력이라 말해 왔습니다. 우리가 살아

<일요일 아침, 짐 데일리, 2000년경>

가면서 인간관계를 놓고 고뇌를 거듭하는 이유는 바로 사랑이라는 믿음 때문입니다.

감정 공부, 사랑

"사랑하다"의 사전적 의미는 세 가지로 정의합니다. 첫 번째 의미는 어떤 사람이나 존재를 몹시 아끼고 귀중히 여기는 것으로 부모가 자식에게 가지는 감정입니다. 두 번째 의미는 어떤 사물이나 대상을 아끼고 소중히 여기거나 즐긴다는 뜻으로 취미나 호불호를 표현할 때 사용하는 의미입니다. 마지막으로 남을 이해하고 돕는다는 사랑의 개념입니다.

설문 조사에서 결혼 대상자와 행복지수를 조사했습니다. 자신이 사랑하는 사람과 결혼하는 것보다 자신을 사랑하는 사람과 결혼하는 것이 훨씬 더 행복하다는 설문지 답이 현저히 높았습니다. 사람들은 자신이 사랑하는 사람과 결혼하면 상대방에게 사랑을 주는 입장이지만, 자신을 사랑하는 사람과 결혼하면 상대방으로부터 사랑을 받는 입장이 되기 때문입니다. 대부분 사람은 자신의 마음을 다른 사람에게 쉽게 주려고 하지 않습니다. 마음을 주게 되면 상처를 받기 때문입니다.

철학자 마르틴 부버는 사랑을 세 가지로 분류합니다.

"나를 위한 사랑"은 나와 상대를 존재로서 인정하고 존중하는 사랑입니다. 이러한 사랑은 상호작용과 대화를 기반으로 돈독해지는 사랑을 말합니다.

"나를 위한 이타적인 사랑"은 나와 상대에게 봉사와 헌신을 전제로 합니다. 이러한 사랑은 나와 상대의 행복을 위해서 사랑이 존재합니다.

"나를 위한 이기적인 사랑"은 상대방을 대상으로 사용하고, 다루고, 통제하며, 상대방을 자신의 욕구나 목적에 부합하는 대상으로 만든다고 합니다. 이러한 사랑의 목적은 상대를 자신의 이익과 만족을 존재하는 것으로 정의합니다.

한 사람을 사랑한다는 것은 상대에 대한 좋은 생각과 느낌에 "사랑하겠다"는 선택과 결정이 수반된 책임을 말합니다.

그림책 테라피

그림책 《고 녀석 맛있겠다》는 일본 작가 미야니시 타츠야의 작품으로 오랜 시간 사랑받는 사랑 이야기로 유명합니다. 사랑이 찾아오면 물리적인 힘으로 막을 수 없는 강력한 에너지가 있습니다. 그림책의 두 주인공 '아빠공룡 티라노사우르스'와 '아기공룡 안킬로사우루스'는 화산이 터지는 어느날 만나게 됩니다. 육식공룡인 티라노사우르스는 아기공룡 안킬로사우르스를 보며 "고 녀석 맛있겠다"라고 말합니다. 알에서 깨어난 아기공룡 안킬로사우루스는 처음으로 자신의 존재를 알아준 티라노사우르스를 아빠로, 자신의 이름은 "맛있겠다"로 인식합니다.

아기공룡 안킬로사우르스는 풀을 좋아하지 않는 아빠를 위해 멀리 빨간 열매를 찾아 길을 떠납니다. 아기공룡이 사라진 사실을 알고 아빠공룡은 아기공룡을 찾아 헤맵니다. 아기공룡은 아빠의 모습을 보며 언제나 "멋져요! 나도 아빠처럼 되고 싶어요!"라며 응원하고 존중합니다. 아빠공룡은 둘이 함께 할 수 없음을 알았습니다. 그러던 어느 날 아빠공룡은 아기공룡 안킬로사우르스를 보내야 한다고 생각합니다.

아빠공용 티라노사우스는 아기공룡 안킬로사우르스에게 우리가 함께 하기 위해서는 아빠와의 경주에서 이겨야 한다는 조건을 말합니다. 아기공룡 안킬로사우르스는 아빠공룡 티라노사우르스와 함께 살려고 뒤도 돌아보지 않고 죽기 살기로 숲을 향해 달려갑니다.

사랑은 어떤 결과가 생길지 알지만, 그럼에도 선택하고 책임지는 것, 그것이 진정한 사랑입니다.

인문학 테라피

"사랑은 상대방을 바라보는 것이 아니라, 그 안에 자신을 바라보는 것입니다." **-칼 융**

심리학자이자 정신과 의사였던 구스타프 칼 융은 사랑이란 개념을 자신과 상대방 사이의 관계뿐 아니라 내 안에 내재된 것으로 정의합니다. 다시 말해, 사랑은 자신 내면과 자신의 삶, 그리고 자기 생각과 감정을 이해하고 수용할 때 가능한 것입니다. 그림책 《고 녀석 맛있겠다》의 주인공 티라노사우르스의 마지막 선택이 우리에게 긴 여운을 남기는 이유는, 무엇보다 자신을 제대로 보았던 티라노사우르스의 참사랑이 담겨있기 때문입니다.

그리스로마 신화로 배우는
스토리 인문학 강의

조경애 소장
(너나울스토리연구소)

1장. 왜 그리스로마 신화인가?

·
·
·

그리스로마신화란 고대 그리스 시대부터 전해 내려온 올림푸스 12신의 이야기인 '그리스신화'를 말합니다. 그리스가 쇠퇴한 후 그리스문화를 숭상하던 로마인들에 의해 자연스레 로마로 흡수된 그리스신화는 로마의 토속신화와 합쳐지고 신들의 이름이 바뀌며 '그리스로마신화'로 재탄생되었습니다. 신들의 이야기였던 그리스신화는 로마신화와 만나며 많은 부분에서 인간과 신과의 사건을 다루고 있습니다. 신화는 우리로 하여금 무의식을 들여다보고 내재되어 있던 욕망을 마주하게 하여 시련과 절망 속에서도 다시 일어설 수 있는 용기를 갖게 합니다. 미국의 유명한 신화학자인 조셉 캠벨(Joseph John Campbell)은 『블리스, 내 인생의 신화를 찾아서』에서 이렇게 말하고 있습니다.

"신화 속 원형과 상징을 올바로 이해한다면 어느 시대에나 우리 삶의 본보기로 삼을 수 있다."

그리스인들의 세상을 이해하는 사고방식은 근대 서양인의 사고방식으로 이어졌고, 데카르트나 칸트 같은 위대한 철학자들에 의해 발전되어 현대철학의 기반이 되었습니다. 우리는 신화 속 주인공의 이야기를 통해 삶 속에서 끊임없이 반복되고 있는 질문의 해답을 찾게 됩니다.

신화를 인문학의 정수라 부르는 이유는 단순히 재미있는 옛이야기나 경전에 머물지 않고, 시대상을 이해하는 통로가 되기 때문입니다. 신화는 역사적 배경에 의해 만들어졌기에 당시의 문화나 맥락을 이해하지 못한다면 우리는 신화가 갖는 참 의미를 알아채지 못하게 됩니다. 신화는 옳고 그름의 척도, 즉 기준점을 제시합니다. 하지만 여기에 놓치기 쉬운 함정이 도사리고 있습니다. 모든 도덕은 권력자들에 의해 힘없는 자들을 지배하고 자기 것을 지키기 위한 수단으로 만들어졌다는

사실입니다. 이러한 이유로 신화나 이솝우화는 끊임없이 인간에게 도덕적 사고를 요구합니다. 지배자들은 당시의 군중들을 신화라는 거스를 수 없는 규범 안에 가두어 무기력하게 만들었습니다. 신화는 과거의 모사물입니다. 우리가 신화를 현대적 관점으로 재해석해야 하는 이유입니다. 신화의 줄거리에 갇혀있지 말고 신화 속 원형과 상징을 올바로 이해하고 사유하는 과정이 필요합니다.

신화는 우리네 삶의 모습이 담겨있는 지혜의 보고입니다. 신화 속에는 우리가 흔히 문사철(文史哲)로 알고 있는 인문학이 고스란히 들어가 있습니다. 인문학(humanities)이 삶의 경험이 미치는 영향을 파악해 결국 좀 더 나은 삶을 살아갈 수 있도록 하는 학문이라는 점에서 그리스신화와 닮아있습니다. 인문학의 전반에는 스토리가 흐르고 있고, 그리스신화 역시 대부분 서사의 형식을 띠고 있습니다. 그리스어로 신화를 뜻하는 말인 '뮈토스(Mythos)'는 아리스토텔레스(의 『시학』에서 처음 언급된 용어로 '이야기된 것' 그 시대 사람들의 그 시대 이야기입니다. 스토리(Story) 또한 교육과 도덕적 가치를 가르치는 방법으로 오랜 기간 사용되어 왔다는 점에서 신화와 맞닿아있습니다. 그리스로마신화가 곧 인문학이고, 인문학이란 결국 스토리텔링(storytelling)입니다. 이야기의 힘은 세상을 바꿀 만큼 강력합니다. 케케묵은 과거의 신화에 인문학적 상상력과 감성적 스토리텔링을 더하면 세상 어디에도 없는 나만의 미래가치를 창출해낼 수 있습니다.

우리는 급변하는 현재를 살아내며 알 수 없는 미래 사회를 맞이해야 하는 시점에 서 있습니다. 최근 다시 인문학이 화두가 된다는 것은 '과연 나는 지금 무엇을 할 것인가?'를 고민하라는 메시지입니다. 과거의 경험을 바탕으로 제대로 된 판단(Hind-sight)력을 갖추면 미래를 내다보는 선견(Fore-sight)을 갖추게 되고 비로소 내가 지금 무엇을 해야 할지(In-sight) 알 수 있기 때문입니다. 그런 의미에서 그리스신화야말로 통찰력(洞察力, insight)을 키우기 위한 최고의 자기계발서인 셈입니다.

이 책에서는 우리가 한 번쯤은 들어봤음직한 몇몇 신들의 이야기를 통해 자신을 통찰하고 미래를 내다보며 나다운 삶, 지금의 나보다 발전된 나로 살아가는 지혜를 배워보고자 합니다. 누구 못지않게 흔들린 삶을 살아온 필자는 스승이신 권영민 인문학자를 만나 마음길교육원이라는 공동체 속에서 인문학을 통해 날마다 새롭게 태어나는 경험을 하고 있습니다. 이 글이 여전히 흔들리는 삶을 살고 있는 독자에게 나아갈 방향을 잡는 이정표가 되어주길 소망합니다.

2장. 시시포스의 '일상'

•
•
•

"산정(山頂)을 향한 투쟁, 그 자체가 인간의 마음을 가득 채우기에 충분하다. 행복한 시지프를 마음속에 그려보지 않으면 안 된다."

프랑스의 작가이자 철학자인 알베르 카뮈(Albert Camus, 1913~1960)는 『시지프 신화』의 마지막 장을 이렇게 끝맺습니다. '부조리(不條理)는 사전적 의미로 이치에 맞지 아니하거나 도리에 어긋남. 또는 그런 일을 말합니다. 불합리·배리(背理)·모순·불가해(不可解) 등을 뜻하는 단어로써, 철학에서는 '의미를 전혀 찾을 수 없는 것'을 의미합니다. 단순히 개념적 지식으로써의 부조리에서 나아가 철학적으로 '부조리'라는 단어를 의미화하는데 있어 알베르 카뮈의 역할이 컸습니다. 알베르 카뮈는 우리가 깨어있는 의식 속에서 '부조리'를 각성할 수 있다고 말합니다. 이 장에서는 『시지프 신화』를 통해 알베르 카뮈가 말하고자 한 '부조리'에 대해 알아보고자 합니다.

<시시포스의 형벌, 베첼리오 티치아노, 1488~1576>

시시포스의 형벌

시시포스는 고대 그리스 신화 속 인물로 코린토스 시를 건설한 왕입니다. 본디 꾀가 많은 인물로 욕심이 많고 속이기를 좋아했는데 도적의 왕 아우톨리코스와의 일화를 통해 신화에 처음 그 이름을 알렸습니다. 도둑의 신 헤르메스의 아들인 아우톨리코스는 아버지에게 부여받은 능력을 이용해 소들을 훔치고 소의 성별까지 바꾸어 가며 자기 것으로 만들었는데 시시포스의 소들도 역시 그 대상이었습니다. 자기 소가 줄어들 때 아우톨리코스의 소가 늘어나는 것을 알게 된 시시포스는 소의 발굽 아래 이름을 새겨두어 아우톨리코스가 훔쳐간 소가 자기 소임을 증명했습니다. 이 사건을 계기로 시시포스는 망신을 당한 헤르메스에게 미운털이 단단히 박히게 됩니다.

시시포스를 가장 유명하게 만든 일화이자 『시지프 신화』의 '부조리' 소재가 된 것은 바로 제우스와의 사건입니다. 시시포스는 우연히 제우스가 강의 신 아소포스의 딸 아이기나를 납치해 가는 것을 발견합니다. 시시포스는 딸을 찾는 아소포스에게 이를 알려주고 물이 나오지 않던 코린토스에 마르지 않는 샘물을 대가로 받습니다.

이 사실을 알고 화가 난 제우스는 시시포스에게 죽음의 신 타나토스를 보내지만 시시포스는 이 사실을 미리 알아채고 오히려 타나토스를 속여 지하실에 가두어버리고 맙니다. 죽음의 신 타나토스가 갇히자 세상에는 죽음이 사라지고, 대혼란이 찾아왔습니다. 화가 난 황천의 신

하데스와 전쟁의 신 아레스는 제우스를 찾아와 항의하기에 이르고, 제우스는 아레스를 보내 타나토스를 구출하고 시시포스를 잡아오게 합니다. 저승으로 잡혀가게 된 시시포스는 아내에게 자신의 장례를 치르지 말 것을 미리 부탁해 놓고 하데스 앞에서 아내가 장례조차 치러주지 않는다며 눈물로 호소합니다. 이에 감쪽같이 속은 하데스는 시시포스를 안타까이 여겨 아내를 벌하고 오라며 시시포스를 돌려보냅니다. 하지만 지상으로 돌아온 시시포스는 다시 사후세계로 돌아가지 않았고 자신의 명을 다 누린 후 죽음을 맞았습니다.

시시포스는 사후에 신들을 속인 대가로 바위를 산 정상까지 밀어 올리는 형벌을 받게 됩니다. 모든 형벌이 그렇겠지만 이 형벌 역시 절대 녹록치 않았습니다. 바위는 산 정상에 다다르면 이내 산 아래로 굴러 떨어졌기 때문에 다시 산 아래로 내려가 정상으로 밀어 올리기를 영원히 반복해야 했기 때문입니다.

알베르 카뮈의 부조리

알베르 카뮈는 『시지프 신화』에서 "무익하고도 희망 없는 일보다도 더 무서운 형벌은 없다고 신들이 생각한 것은 일리 있다."라고 말합니다. 육체적 고통 이상으로 인간을 괴롭게 하는 고통이 바로 인간에게서 희망을 빼앗는 것, 즉 절망이라고 보았습니다. 하지만 알베르 까뮈는 시시포스가 자신에게 주어진 절망적인 형벌에 정복된 채 무의미하게 반복하고 있다고 보지 않았습니다. 시시포스는 그리스로마 신화에서 신에게 도전했던 인간 가운데 유일하게 자신의 의지대로 천수를 누리고 죽은 후에 형벌을 받은 인간이었습니다. 그렇기에 시시포스는 신들에게 보란 듯이 기꺼이 그 형벌을 수행했고 형벌 속에서 의미와 목적을 찾고 운명의 주인으로 살았던 것입니다.

"시시포스의 말없는 기쁨은 모두 여기에 있다. 그의 운명은 그의 것이다. 그의 바위는 그의 것이다." -알베르 카뮈

알베르 카뮈는 『시지프 신화』를 통해 "삶의 끝이 결국 죽음이라면 인생은 부조리하다. 하지만 비록 인간의 삶이 부조리한 것이라 해도 난 계속해서 '오직' 인간이기를 원한다. 다시 말해, 난 인간에게만 주어지는 '생각하는 능력'을 포기하지 않을 것이며, 내 이성을 사용해 끊임없이 세계를 이해하기 위해 노력할 것이다. 그리고 이처럼 어처구니없는 상황에서 벗어나기 위해 '인간적이지 못한' 신의 구원을 기대하지도 않을 것이며, 미래나 영원에 대해 희망이나 기대를 갖지 않을 것이다. 다만 나는 바로 지금, 바로 여기의 삶에 충실할 것이다."라는 결론을 내렸습니다.

신화는 시시포스의 형벌을 통해 인간의 삶을 이야기하고 있습니다. 그 무의미한 노력, 헛수고, 영원한 반복은 인간의 삶과 같습니다. 그리고 기득권층은 신화를 통해 오늘의 고통스러운 반복이 희망찬 미래를 위한 밑거름이라고 말하고 있습니다. 꾀부리지 않고 맡겨진 의무를 묵

묵히 충실하게 해나가면 언젠가는 더 나은 미래가 보장됩니다.

오늘도 시시포스의 바위는 굴러간다

"사람들은 내가 지독한 절망 속에서 무력한 인간임을 받아들인 채 끝임없는 노역을 수행한다고 생각할 수 있습니다. 처음에는 굴러 떨어진 바위를 다시 찾으러 산을 내려올 때 정말이지 화가 나고 절망적입니다. 그 행위가 쉼 없이 반복되었기 때문입니다. 아무리 열심히 밀어 올려도 바위는 어김없이 산 아래로 굴러 떨어져 버렸습니다. 그 참혹한 기분이란 당신은 아마 상상도 못할 것입니다. 그러다 어느 순간 어차피 나는 영원히 이 행위를 되풀이해야 한다는 것을 인식하게 되었습니다. 그리고 이 고통은 내가 선택한 행동에 대한 결과입니다. 그때부터 나는 이 형벌을 스스로 주도하기로 했습니다. 내겐 매번 이렇게 돌을 찾아 산 아래로 내려오는 시간이 주어집니다. 이 시간만큼은 신들도 어쩔 수 없는 나만의 시간입니다. 난 이 시간을 즐기기 위해 다시 바위를 산꼭대기까지 밀어 올립니다." 만약 어떻게 그 고통스럽고 끝없는 형벌을 견딜 수 있었는지 질문을 한다면 그는 이렇게 대답합니다.

과연 나는 지금 겪고 있는 삶의 고뇌를 얼마나 제대로 받아들이고 있는가를 생각해보았습니다. 그리고 타인이 쳐놓은 덫에 걸려 마땅히 감내해야 하는 의무라 여긴 채 다른 선택지는 없다고 믿어버린, 목적도 없이 무의미한 일상을 반복하고 있던 내 자신을 발견했습니다. 현실의 어려움을 뚫고 나아가려는 도전과 희망을 향한 고뇌, 그 자체가 바로 나의 미래를 향한 투자이며 내가 '살아있음'의 증거라는 것을 깨닫기까지는 그리 오랜 시간이 걸리지 않았습니다.

거대한 자본주의 사회에서 마치 부속품처럼 변해버린 현대인의 모습은 시시포스와 많이 닮아있습니다. 우리는 그 굴레 속에서 자칫 돈과 성공, 쾌락 등의 유혹에 빠져 그들을 숭배하며 영혼을 잃어가는 존재가 되기 쉽습니다. 아무리 노력해도 결국 성공할 수 없고, 미래에 대한 희망을 갖는 것은 허상이라는 생각이 삶을 무의미하게 만드는 이유라면 우리는 당연히 그 사실에 맞서 싸워야 합니다. 진지하게 '나의 삶'을 고민하는 시도는 시시포스가 다시 바위를 밀어 올리기 위해 계곡 아래로 내려오는 모습과 같습니다. 부조리한 형벌에 당당히 맞서고, 절망을 뛰어넘는 행위의 능동자가 될 때 우리는 다시 희망을 만날 수 있습니다. 미국의 철학자이자 작가인 헨리 데이비드 소로(Henry David Thoreau, 1817년~1862년)는 다음과 같이 말했습니다.

"꿈을 향해 자신 있게 한 걸음 내디딘다면,
자신이 그린 삶을 살기 위해 한 가지 시도를 한다면
평범한 시간들 속에서 예기치 못한 성공을 만날 것이다."

3장. 프로메테우스의 '지혜'

●
●
●

"프로메테우스는 제우스가 감춰두었던 불을 몰래 인간에게 주었
다. 제우스는 이 사실을 알고 코카서스산 절벽에 그를 꽁꽁 묶
어놓도록 명령했다. 프로메테우스는 여러 해 동안 그곳에 묶여있
었다. 날마다 독수리가 내리 덮쳐 간을 먹어치웠다. 밤이 되면
간이 다시 자라났다."

아폴로도로스(Apollodoros)가 『그리스 신화』에서 소개한 내용입니다.
프로메테우스는 예지능력을 가진 창의력과 손재주가 대단한 장인 신이
었습니다. 인간을 만든 프로메테우스는 인간에게 문명을 열어준 신이
자 인간을 도와준 대가로 가혹한 형벌을 받은 신이기도 합니다. 제우
스는 불을 훔쳐낸 프로메테우스에게 왜 그토록 가혹한 형벌을 내린 것
일까요? 미래를 보는 프로메테우스는 자신이 고통받을 것임을 뻔히 알
면서 왜 제우스에게서 불을 훔쳐 인간에게 주었던 것일까요?

불확실한 세상을 살아가는 현대인들에게 다가올 미래는 불안 그 자
체이고, 이로 인한 스트레스로 넘쳐납니다. 불안에서 벗어나 미래를 잘

맞이할 수 있는 방법은 무엇일까요? 절대자에게 대항하면서 인간을 지켜낸 신, 프로메테우스를 통해 미래를 예측하는 지혜를 배워봅시다.

프로메테우스, 인간을 위해 불을 훔쳐내다.

"제우스는 인간들을 위해 지칠 줄 모르는 불의 힘을 주지 않았다. 그러나 프로메테우스는 지칠 줄 모르는 불의 멀리 보는 화광을 훔쳐냈다. 제우스는 인간들 사이에서 불의 멀리 보는 화광을 보자 마음속으로 화가 났다." -헤시오도스(Hesiodos) 『신들의 계보』

프로메테우스의 동생 에피메테우스는 제우스에게 인간과 동물들이 자신을 지키고 살아가는 데 필요한 능력을 나누어주는 일을 위임받았습니다. 하지만 에피메테우스가 동물들에게 모든 능력을 나누어주는 바람에 인간은 아무런 능력도 받을 수 없게 되었습니다. 심심해서 인간을 만들도록 지시한 제우스와 달리 프로메테우스는 자신이 만들어낸 인간에게 각별한 애정이 있었습니다. 결국 프로메테우스는 지혜의 신 아테나의 도움을 받아 헤파이스토스(대장장이 신)에게서 몰래 불을 훔쳐 인간에게 주기에 이릅니다.

불은 신들의 소유이자 신들의 영역입니다. 불은 생명의 시작이며 불을 소유한다는 것은 곧 지혜를 얻는 것의 의미합니다. 지혜(智慧/知

<인간에게 불을 전달하는 프로메테우스, 하인리히 휴거, 1817년>

慧)의 사전적 의미는 사물의 이치를 빨리 깨닫고 사물을 정확하게 처리하는 정신적 능력으로, 인간이 불의 힘, 즉 지성을 갖추게 되면 절대적이어야 하는 신의 권위가 위협받게 됩니다. 이는 서두에 언급했던 고대 국가의 지배자들이 그들의 부와 권력을 독점하기 위해 신화라는 절대적인 무기를 이용한 것에 대한 설명이 됩니다.

프로메테우스에게 불을 전해 받은 인간은 불을 이용해 음식을 익혀 먹게 되고, 추위를 이길 수 있게 되었으며, 어두운 밤을 밝히고 외부의 위험으로부터 자신을 보호할 수 있게 됩니다. 그렇지만 이러한 의식주의 해결보다 더 큰 불의 힘은 바로 '지칠 줄 모르는 불의 멀리 보는 화광'입니다. 불의 빛, 빛의 힘은 곧 어둠을 밝히는 힘, 지성을 말합니다. 다른 동물이 갖지 못한 생각하는 힘은 인간을 지켜주었고 문명을 이룩하도록 만들었습니다.

판도라를 통해 인간을 벌한 제우스

"하지만 그것은 그대 자신에게도 후세의 인간들에게도 큰 화근
이 되리라. 나는 불의 대가로 그들에게 재앙을 줄 것인즉, 그들
은 모두 자신의 재앙을 껴안으며 마음속으로 기뻐하리라."

제우스는 헤파토이스토스에게 진흙으로 여자를 빚게 했습니다. 아프로디테에게 아름다움을, 헤르메스에게 말솜씨를, 아폴론에게 음악의 재

능을, 제우스에게 생명과 항아리를 선물 받은 이 아름다운 여인이 바로 우리가 익히 알고 있는 '판도라'입니다. 동생 에피메테우스는 제우스의 선물을 절대 받지 말라는 프로메테우스의 예언에도 불구하고 판도라를 본 순간 한눈에 반해버렸고 아내로 맞이하게 됩니다. 그리고 에피메테우스의 당부에도 불구하고 호기심을 이기지 못한 판도라는 결국 제우스가 보낸 항아리의 뚜껑을 열고 맙니다. 판도라가 항아리의 뚜껑을 여는 순간, 슬픔, 미움, 욕심, 복수, 가난과 질병 등의 온갖 재앙들이 세상 밖으로 쏟아져 나왔습니다.

판도라의 항아리에서 나온 재앙들은 하나같이 지성을 약화시키는 역할을 하는 것입니다. 감정에 휩싸이고, 육체적인 고통이 따를 때 흔히 우리는 이성이 흐려지고 문제 해결에 어려움을 겪게 됩니다. 제우스의 재앙으로 지성은 우리에게 새로운 경험과 지식을 얻게 해주기도 하지만, 물질적 욕망에 빠지거나 경솔한 선택을 하는 우를 범하게도 합니다. 결국 우리는 인간이 가진 약점과 제약을 인정하고, 이를 극복하기 위해 지혜를 발휘해야만 합니다.

인간들의 영웅 프로메테우스

자신에게 닥칠 형벌까지도 이미 알고 있었을 프로메테우스는 그럼에도 불구하고 인간에게 불을 훔쳐다 주는 것을 선택했습니다. 자기 손으로 만든 인간이 스스로를 보호할 수 있는 그 어떤 조건도 갖추지 못했다는 사실 앞에서 프로메테우스는 절대 권력에 저항했습니다. 또한 프로메테우스는 결코 형벌에서 벗어나기 위해 제우스에게 용서를 빌지 않았습니다. 자기 행동이 정당한 일이자 반드시 해야 할 일이라고 생각한 것입니다. 만약 인간에게 불을 가져다주기 전으로 돌아간다 하더라도 프로메테우스는 다시 인간에게 불을 가져다 주었을 것입니다. 그것 또한 자신의 운명이라고 믿기 때문입니다.

"자신의 시련을 극복하고, 다른 사람들을 위해 새로운 가능성의 세계를 열어주는 용기, 그것이야말로 영웅의 용기다." -조셉 캠벨

우리는 중년이 되면 더 이상 꿈꾸지 않습니다. 그것은 프로메테우스가 가혹한 형벌을 무릅쓰고 우리에게 전해준 불의 힘을 스스로 포기해버리는 것과 같습니다. 지혜란 걱정하지 않고, 좋은 것과 나쁜 것을 모두 보는 것입니다. 다시 성장할 것인지 이대로 멈춰버릴 것인지는 우리 스스로 가 결정해야합니다. '두려워하지 말고 결정하라.' 프로메테우스가 우리에게 전하는 메시지입니다. 선택은 미래의 나와 맞서야 합니다. 내가 내린 결정의 판단은 결과를 통해 나타납니다. 내가 원하는 것을 위해 지금 할 수 있는 최선의 방법을 찾고 선택하는 것이 지금의 내가 해야 할 몫입니다. 미래는 꿈꾸는 자의 몫이 아니라, 행동하는 자의 몫이기 때문입니다.

"믿어보자. 가장 위대한 풍요와 가장 큰 즐거움을 끌어낼 수 있는 비법은 바로 '위험하게 살기'다. 당신의 도시를 베수비오 화산 위에 건설하라. 당신의 배를 아직 탐험하지 않은 바다로 출항시켜라. 당신 자신과 투쟁하라." -프리드리히 니체『즐거운 학문』

4장. 디오니소스의 '욕망'

●
●
●

"디오니소스는 테베에 와서 여인들이 집을 떠나 산에서 디오니
소스적인 광란에 몸을 맡기도록 강요했다." -아폴로도로스 <그
리스신화>

    욕망(欲望/慾望)의 사전적 의미는 부족을 느껴 무엇을 가지거나 누
리고자 탐함, 또는 그런 마음을 말합니다. 사전적 의미로만 본다면 욕
망은 무언가를 원하는 마음에 지나지 않습니다. 그런데 우리는 왜 욕
망을 혼란과 광기로 이끄는 부덕(不德)이라고 보게 되었을까요? 중세
까지는 '욕망'을 일종의 심각한 질병과 인간의 몰락을 가져다주는 암
덩어리, 이성의 고결한 활동을 방해하는 것으로 치부했습니다. 그 중심
에 플라톤이 존재합니다. 우리는 플라톤에 의해 욕망을 나쁜 것이라고
생각하기 시작했습니다. "영혼은 두 마리 말이 끄는 마차와 같다."는
'마부론'을 한 번씩은 들어봤을 것입니다. 플라톤은 영혼을 두 마리 말
이 끄는 마차에 비유하며 한 마리 말은 '욕망'이고, 다른 한 마리는
'의지'라고 보았습니다. 그리고 마차 위에는 '이성'이라는 마부가 고삐
를 잡고 있습니다. 이번 장에서는 우리가 욕망의 신이라고 알고 있는

디오니소스를 통해 '욕망'의 실체에 대해 파헤쳐보고 과연 욕망이 부적절하고 버려야하는 것인지에 대해 함께 고민해보고자 합니다.

'늙지 않는 가장 아름다운 청년 신' 디오니소스

디오니소스는 제우스와 테베의 공주인 인간 세멜레의 아들입니다. 질투심에 가득 찬 제우스의 아내 헤라는 복수를 위해 세멜레에게 접근합니다. 헤라는 세멜레가 자기 연인이 가짜 제우스라고 의심하게 만들었습니다. 헤라의 꾀임에 넘어간 세멜레는 제우스에게 실제 모습을 보여달라고 요구하기에 이르고, 결국 제우스의 모습을 직접 눈으로 확인한 세멜레는 그 광채의 열기로 인해 타 죽게 됩니다. 이때 세멜레는 아이를 임신한 상태였는데, 죽은 세멜레의 자궁에서 태아를 꺼낸 제우스는 자신의 넓적다리에 넣어 기릅니다. 이렇게 태어난 아이가 바로 '디오니소스'입니다. 디오니소스(Dionysos)의 '두 번(Dio)'은 제우스의 허벅지에서 다시 태어났다는 뜻입니다. 제우스는 헤라의 눈을 피하기 위해 디오니소스를 '헤르메스'에게 맡기고 여자처럼 키우도록 당부했습니다. 많은 고대 그리스 문학에서 디오니소스를 여성스러운 남자, 양성성을 지닌 자로 언급하고 있는데, 오비디우스는 디오니소스를 "예쁜 처녀보다도 더 아름다운 청년, 천궁에서 가장 아름다운 신'이라고 묘사하기도 했습니다.

<디오니소스, 카라바조, 1595년>

'술과 황홀경의 신' 디오니소스

디오니소스는 헤라를 피해 방랑하다 우연히 포도 재배법과 포도주 빚는 법을 터득하게 됩니다. 디오니소스는 이것을 여러 사람들에게 전파하였고, 많은 추종자들이 모여들어 디오니소스가 가는 곳에서는 늘 광란의 파티가 벌어지곤 했습니다. 때문에 대부분의 신화에서는 디오니소스가 발을 디딘 곳은 예외 없이 재앙이 뒤따르는 내용으로 가득합니다. 디오니소스에 대한 평가는 대체로 광란의 신으로 묘사됩니다. 이는 이탈리아의 화가 카라바조의 작품 <병든 디오니소스-1593>에서도 여실히 드러납니다. 작품은 술과 황홀경을 추구하는 욕망이 결국 자멸에 이르게 한다는 메시지를 주고 있습니다. 욕망의 신인 디오니소스조차 이 지경으로 만드니 인간은 두말할 필요도 없다는 것입니다. 그 당시에는 사람들이 스스로 술과 황홀경에 참여한 것이 아니라 강요에 의해 어쩔 수 없이 디오니소스를 따른다고 보았습니다. 디오니소스는 올림포스 신들 중 유일하게 인간의 몸에서 태어난 신입니다. 디오니소스는 그가 신이거나 영향력 있는 존재임을 부정하려는 권력자들에 의해 수많은 박해를 받았습니다. 개인의 삶보다 국가의 이익이 우선되어져야만 하는 고대국가에서 욕망은 자연스럽게 비도덕적인 것이 됩니다. 사회의 기강을 바로 잡고 대중들을 속박하기 위해 이성이 우선되어졌습니다. 이성은 곧 설득입니다. 지식을 통해 대중들에게서 동의를 얻어내는 능력까지가 포함됩니다. 신화는 끊임없이 대중에게 규칙을 지켜야 한다고 강조합니다. 노동은 운명이고, 가난에서 오는 현실의 고통을 어쩔 수 없는 굴레로 감내하며 살아야 하는 대중들의 삶, 이들에게 술은 춤, 노래, 욕정 등을 불러 인생을 허비하는 것으로 보았습니다. 술이 곧 욕망이요, 욕망은 타락과 몰락으로 가는 길이라는 공식이 성립되고 결국 디오니소스는 사람들을 타락으로 이끈 셈이 됩니다.

'디오니소스'에 환호한 그리스인

"인간세계의 질서를 이루는 두 개의 원리가 있소.
하나는 대지의 여신으로서 빵을 공급해주는 신이라오.
두 번째는 빵에 대칭하는 술을 내리는 신이오.
우리를 육체의 설움에서 해방시키는 신이오.
포도주에 흠뻑 취하면 비참한 인간의 고뇌도 멈추고,
나날의 노고를 잊게 하는 잠이 찾아온다오."
-에우리피데스-

민주정 시기 그리스 3대 비극 작가인 에우리피데스(Euripides, 480
~406 BC)는 디오니소스의 긍정적인 면을 강조하였고, 이후 공화정에
서는 디오니소스에 대한 시각이 바뀌게 됩니다. 디오니소스를 부르는
또 다른 이름은 '해방자'라는 의미의 '엘레우테리오스'입니다. 코르넬
리스 데 보스의 작품 <디오니소스의 승리-1638>을 살펴보면, 표범이
이끄는 수레를 탄 디오니소스 옆에는 반인반수의 사티로스와 정령들,
악기를 든 여성과 노예를 상징하는 검은 피부색의 남자가 흥겨운 춤을
추고 있습니다. 노예와 당시 노예보다 더 낮은 신분이었던 여성이 함

<디오니소스의 승리, 코르넬리스 데 보스, 1638년>

께 하고 낮은 신분과 관련 깊은 타악기들이 등장합니다. 맹수와 사티로스까지도 추종하는 디오니소스의 축제는 광기나 착란이 아닌 구원과 해방, 열망의 표출이었습니다.

도덕이란 고정된 것이 아니며 욕망 또한 이성과 도덕의 잣대로 평가할 수 없습니다. 타인에게 피해를 주지 않는 범위 안에서 내가 원하는 것을 마음껏 누려도 좋습니다. 욕망은 내가 진정으로 원하는 바로 그것이고, 욕망은 곧 창조성입니다. 행동의 발목을 잡는 기준과 원칙, 불필요하고 거추장스러운 것들을 깨고 욕망에 충실해야하는 이유입니다.

영화로 배우는
인문학 강의

이명숙 소장
(사람다움연구소)

책머리

•
•
•

영화를 종합예술이라고 한다. 왜냐하면 영화 속에는 예술적 가치들이
잔뜩 들어있기 때문이다. 영화를 만드는 요소 중에는 문학, 연극 음악
요소와 함께 사진, 건축, 회화까지 시각적 미장센이 숨어 있다. 영화는
사람이 살아가면서 겪게 되는 생노병사 희노애락의 모든 스토리가 픽
션 또는 사실을 기반한 작품으로 구성되어 있기에 영화라는 도구를 통
해 인문학을 이해하고자 한다.

대부분 인문학이라고 하면 문학, 역사, 철학을 기반으로 한 학문이라
고 생각하지만, 딱히 그렇지만도 않다. 인문학은 사람을 배우는 학문으
로 동양의 주역은 이렇게 말한다. "천문(天文) 살펴서 때의 변화를 관
찰하고, 인문(人文)을 살펴서 천하의 교화를 이루는 것"이 인문학이라
고 한다. 이 말은 즉 우주적으로 하늘을 포함한 대자연의 이치를 알고
이 땅에 존재하는 사람들 즉 앞서간 사람의 무늬, 흔적, 결을 통해 인
생의 지혜로움을 배우는 학문을 말한다. 서양에서 인문학을 라틴어로
'Humanias'라고 하는데 키케로는 이를 인간 본성을 의미하며
Humanias 는 인간의 탁월함(Arete)을 습득하는 특별한 존재로 보았다

따라서 키케로는 "젊은 사람들의 마음을 바르게 지켜주고, 나이 든 사람들의 마음은 행복하게 해주며, 역경을 극복한 사람은 마음의 안식과 평화를 가져다준다"고 했다. 그렇기 때문에 인문학은 매 순간 이루어지는 나의 고민과 나의 선택과 행동이 수반되는 삶 자체이기에 동서양의 문학, 역사, 철학을 자세히 알지 못 해도 자신의 본성으로 알아차릴 수 있으면 된다.

나는 누구이고, 무엇을 하며 어떻게 살아야 하는지 사람들과 관계 속에서 사람다움을 찾는 여정에 있다면 우리는 반드시 마음 깊숙이 자리하고 있는 과거의 기억과 화해를 해야 하고 현재의 나와 잘 지내며 미래의 나와 동행할 수 있는 삶의 지혜를 찾아야 한다. 그 도구가 영화이다. 영화는 자신과 타인을 탐구하는 도구이고 영화작품 속에 들어 있는 문학적 요소를 통해 소통, 힐링, 치유의 기능들을 감당해 낼 수 있다. 따라서 영화작품은 어떠한 인생이라도 삶을 돌아보고 정비하고 새롭게 찾아갈 수 있는 안내판이라고 할 수 있다. 결국 인문학은 사람 공부이고 영화 또한 삶을 배우는 영역으로 영화작품 속 문학은 사람다운 삶을 배우는 장르가 분명하다. 따라서 영화가 주는 철학적 질문을 통해 인문학적 사유를 하며 인생이라는 긴 여정 속에 다채로운 삶이 만나지길 기대한다.

1. 진심으로 소통하라

-〈굿 윌 헌팅〉, 1997년 -

· · ·

운명-조각

"수많은 좌절과 절망은 삶을 더 아름답게 조각해 준다." -프리
드리히 니체

끊임없이 갈등하는 존재가 사람이다. 성격 차이로 서로 이해 폭이
좁아 생기는 갈등하는 존재가 사람이다. 스스로 무엇을 원하는지, 어떤
사람인지 조차 파악하지 못하고 수년간 습득된 내 방식대로 말하고 내
방식대로 행동하는 자신을 본다. 영화는 거울이다. 스크린에 비추어진
영화 속 캐릭터를 통해 내면의 나와 마주한다. 닮고 싶은 나, 대면하기
싫은 나, 두려운 나, 슬픈 나, 불안한 나도 있지만 위로받고 싶은 나,
보호받고 싶은 나, 응원받고 싶은 나도 만난다. 수많은 나의 감정과 마
주하는 영화는 내면에 있는 나를 소환한다. 그래서 수많은 좌절과 절
망의 순간에도 나의 삶을 더 아름답게 조각해 주는 도구 바로 영화이
다.

진심으로 소통하라

"맹자께서 말씀하였다. 마음을 극진히 하면 자기의 본성(本性)을

안다. 그 마음을 극진히 다하는 사람은 그 성(性)을 알게 되니 그 성(性)을 알게 되면 천(天)을 알게 된다."

우리는 살면서 많은 사람과 관계를 맺고 살아간다. 세상에 첫발을 내딛는 것을 두려워하는 것은 본능이다. 영화 <굿 윌 헌팅>(Good Will Hunting)은 맷 데이먼이 대학에서 과제로 써본 소설을 원작으로 한 구스 반 산트 감독의 작품이다. 1997년 개봉되었으며, 원작을 썼던 맷 데이먼이 직접 출연했다. 천재적인 두뇌를 가졌으나 자포자기의 삶을 살던 청년이 한 심리학 교수와의 만남을 통해 변모되어 가는 과정을 그린 영화작품으로 2003년 칸영화제에서 황금종려상을 받았다.

이 영화의 주인공 윌은 수학 천재이다. 그러나 유년 시절 부모로부터 버림받은 기억과 양아버지의 폭력과 학대로 얼룩진 기억의 잔상들로 두려움을 안고 산다. 좋은 길로 이끌어 줄 사람도 없고 속 터놓고 진심을 말할 사람도 없다. 혹시 버림받지 않을까 하는 두려움으로 마음 문을 굳건히 닫고 살아간다. 그나마 위안을 얻을 수 있는 것은 노역 일을 함께하는 친구 처키이다. 처기는 윌의 찐 편이다. MIT 대학교에서 청소부로 일하는 윌은 평범한 일에 예민하게 반응하는데 마음의 상처 때문이다. 그러나 숀 교수와 심리상담을 받게 되었지만 윌은 자신의 진심을 드러내지 못하고 헛소리만 늘어놓다가 숀 교수의 상처까지 건드리게 된다. 숀 교수는 아내에 대한 진심 어린 마음으로 아내에 대한 사랑, 투병, 사별의 과정과 마음으로 이겨낸 역경과 고난을 말한다. 그러면서 "네가 지적이고 자신감이 있다고 생각하니? 내 눈에는 오만이 가득한 겁쟁이 어린아이로 보인다." "너 스스로에 대해 말해야 해. 자신이 누구인지 말이야." 이 말은 윌의 상처를 치유하는 첫 단추가 된다. 숀 교수는 진심으로 윌의 본성 속에 있는 어두운 두려움을 소환하여 치유하게 되고, 숀 교수 자신도 어릴 적 상처를 치유하게 된다.

환경의 중요성을 일깨우다

주인공 윌은 보스턴 근교 아일랜드계로 수학의 천재적인 재능을 지닌 청년이다. 윌은 집안 형편이 좋지 않아 대학에 진학하지 못하고 매사추세츠 공과대학에서 청소원으로 일을 한다. 윌의 어린 시절은 몇 번의 입양과 파양을 반복적으로 당했고 가정폭력을 일삼았던 의붓아버지는 가죽 혁대로 윌을 때릴 정도로 가혹한 사람이었다. 윌은 가정 폭력의 희생자였고 이로 인한 외상을 지니게 되었다. 어른에게 학대당했던 어린아이 윌은 범죄를 저질러 소년원에 수감된 전력이 있다. 그리고 윌은 가족과 완전히 단절되어 살고 있고 비슷한 환경을 지닌 또래 친구 처키는 둘도 없는 친구이다.

윌의 인물 탐구(성격과 행동)

윌은 버림받지 않기 위해 친밀한 관계에 지나치게 집착하고 타인의 지지를 받아들이지 못하고 감각을 추구하는 행동과 격렬한 분노를 표출한다. 월은 폭력적이다. 유치원 때 자기를 때렸다는 이유로 패 싸움을 벌인다. 월은 친구 처키 외에 다른 사람을 믿지 못한다. 마음의 문을 굳게 닫고 도움을 주려 해도 받아들이려 하지 않는다. 세상에 대해 냉소적이고 반항적이고 인내심이 없다. 사회계층에 대한 열등의식을 우월감으로 만회하려는 듯 MIT 대학 청소부를 하면서 난이도 높은 수학 문제를 풀고 대학생들과 열띤 토론을 통해 자신의 지식과 능력을 과시하고 싶어 하는 인물이다.

친구와의 관계

월과 처치는 유사한 환경을 지닌 친구로 그들은 의리로 똘똘 뭉쳐있다. 처키는 월을 아주 많이 아낀다. 처키에게 똑똑한 월은 자신의 욕망을 대리 만족시켜주는 인물이지만 월이 처키와 평생 이웃하며 살겠다고 하자 처치는 커다란 재능이 있음에도 불구하고 20년 후에도 노무자로 산다면 죽여 버리겠다고 한다. 변화에 대한 두려움으로 이곳에서 썩는다는 것은 처키 자신을 모욕하는 것이라고 한다. 진정한 친구란 어떤 것인지를 생각하게 한다.

월과 스카일라 관계

스카일라는 여유로운 가정에서 자랐고 밝고 명랑하며 꾸밈이 없는 인물이다. 그러나 13세 때 아버지의 죽음으로 외로운 그녀는 자신의 감정에 충실하며 미래 대한 두려움이 있으나 극복하고자 노력하는 인물로 안정적인 성격이다. 윌과는 대조적이다. 두 사람은 자신을 소개할 때 마술 가게에서 이상한 안경을 쓰고 변장하면서 자기소개를 한다. 현재 하버드 대학생이며 장래 스탠퍼드대학교 의학전문대학원진학이 꿈이라고 한다. 윌은 변장하면서도 자신에 대해 전혀 말하지 않는다. 고향, 어린 시절, 형제, 친구 관계 등에 대해 스카일라는 묻지만 윌의 대답은 건성이다. 고아인 윌은 형제가 있을 리 없고 여러 가정을 전전 하면서 생겨난 여러 입양 형제를 말할 수 없기 때문이다. 그러나 스카 일라는 윌의 재능에 감탄하고 진정으로 사랑을 느낀다. 캘리포니아로 함께 떠날 것을 제안하지만 윌은 이렇게 말한다. 캘리포니아에 함께 갔다가 네가 나에게 싫어하는 점이 있다는 걸 알게 되면 같이 가자고 했던 말을 후회하게 될지도 몰라 그리고 "널 사랑하지 않아"라고 말을 한다. 윌은 버림받을 것에 대한 두려움이 있었다.

윌의 상처 치유

손 교수는 MIT 대학교 수학자인 램보 교수를 통해 소개받은 첫 만 남에서 윌은 그림 하나로 인생을 마치 다 아는 것처럼 말하고, 손 교 수의 아픈 삶을 잔인하게 난도질한다. 손 교수는 윌에게 묻는다. 아름 다운 그림을 보고 황홀경에 빠져본 경험이 있는지? 진정으로 사랑한 여인이 암으로 죽어갈 때 느끼는 상실감이 어떤 감정인지? 누군가를 진심으로 사랑해 본 경험이 있는지? 묻는다. 손 교수는 뜻도 모르고 의미도 없이 지껄이는 말에 상처를 입을 필요가 없다고 깨닫게 되면서, 어린애일 뿐인 윌에게 머리가 아닌 몸과 마음으로 다가섰을 때 가능하다는 것을 느낀다. 그리고 숀 교수는 윌 자신이 누구인지 스스로에 대해 말할 수 있을 때 도움을 준다고 한다. 자신을 한 번도 드러내본 적이 없는 윌은 자신을 드러내는 것을 두려워한다. 윌이 현실을 회피하고 사람을 믿지 못하는 까닭은 사랑하는 사람들에게서 버림받을까 두렵기 때문이며 그 때문에 방어심리가 작동된 것이다.

윌은 숀 교수에게 어릴 때 폭행의 경험이 있는지 묻는다. 숀 교수는 알코올 중독자인 아버지에게 당한 폭행을 말하게 되고 윌은 의붓아버지에게 당한 폭행을 말한다. 두 사람 사이에 공감대가 형성된다. 윌은 자신에 대해 묻는다. '애정결핍 같은 건가요?' '버림받을까 두려워하는가?' '그래서 스카일라와 헤어진 걸까?' 윌은 평생 처음 자신의 감정을 솔직하게 표현한다. 이때 상담자 숀은 "내 잘못이 아니야!"라고 하면서 윌의 마음 깊숙한 곳에 자리 잡고 있던 어두운 두려움과 어릴 적 외상이 치유된다.

두려움의 근원을 찾아서

사랑하는 사람에게서 버림받는다는 것은 두렵고 외로운 것이다. 치유되지 않은 상처를 다시 겪고 싶지 않은 윌은 두려운 마음 때문에 상처를 받느니 상처를 주는 게 낫고, 사랑하는 사람이 떠나기 전에 윌이 떠나는 게 낫다고 생각한다. 숀 교수는 윌의 마음을 열기 위해 자신에게도 꺼내면 아픈 상처를 꺼내는 용기를 보여준다. 뛰어난 능력을 갖

췄음에도 두려움으로 세상에 나서지 못하는 윌에게 "네 잘못이 아니야"라는 말로 윌은 죄책감을 덜어내고 세상으로 나갈 수 있는 용기를 갖게 된다. 누구나 잘할 수 있는 능력이 있음에도 알지 못하는 트라우마로 인해 두려움과 불안에 휩싸일 때가 있다. 그런 깊은 어둠에 갇혀 있는 두려움, 불안, 공포 등을 소환해 치유하는 것이 바로 사람 공부이고 영화 인문학이다.

현재 많은 곳에서 인문학이 회자되고, 영화 장르의 인문학을 접목하는 이유는 성품을 기르거나 정서적 안정감을 얻기 위한 표면적 이유도 있지만 진심으로 인문학을 배우는 본질적인 이유는 사람다운 사람이 되기 위한 것이다. 따라서 인문학은 진심지성(盡心知性) 본성을 아는 것이 사람다움을 고취하는 것이다.

2. 사랑으로 소통하라

-〈레 미제라블〉, 1998년 -

이 영화는 프랑스 시민혁명을 바탕으로 만든 영화로 빅토르 위고의 장편소설을 원작으로 한 뮤지컬 영화다. 레 미제라블은 "비참한 사람들", "불쌍한 사람들"이라는 의미인데, 제목만 들어도 얼마나 그 시대의 암울했던 역사가 짐작이 된다. 프랑스혁명은 1789년 7월 14일부터 1799년 11월 9일까지 약 10년에 걸쳐 일어났던 봉기였다. 당시 프랑스는 왕과 성직자, 귀족들은 인구의 2%에 불과했지만, 전 국토의 40%를 소유했고, 주요 관직을 차지했으며 세금을 내지 않았다고 한다. 그리고 대부분 세금을 평민이 냈으나 정치에 참여할 수 없었던 불합리한 시대적 상황 속에서 생존을 위한 시민들 분노가 극에 치 달았던 시대였다. 이 영화는 빵 한 조각을 훔친 생계형 절도죄로 19년의 옥살이를 해야 했던 장 발장이 주인공으로 등장한다. 그의 억울함은 미리엘 주교를 만나 인생에 있어 가치 있는 것이 어떤 것 인지 깨닫게 되면서 마들렌이라는 이름으로 많은 사람에게 덕행을 행한 장 발장은 자베르 경관과 원한의 고리까지 끊는 사랑의 힘을 보여주는 영화이다.

범죄자 장 발장

장 발장은 가난과 굶주림으로 인해 한 조각의 빵을 훔친 죄로 5년 형을 선고받고 감옥에 수감 된다. 그곳에서 평생의 악연 자베르를 만나게 되는데 자베르는 교도소 안에서 범죄자의 아들로 태어났다. 어른이 된 자베르는 죄수들의 감독관이 되어 냉혹할 정도로 법의 심판을 신봉하는 자다. 장 발장은 여러 차례 탈옥을 시도하다가 19년간을 감옥에서 보내고 중년이 되어 출옥한다. 이 과정에서 사회에 대한 원망과 증오심을 키우게 되고 전과자라는 이유로 사회의 냉대에 시달린다.

이런 장 발장에게 호의를 베푼 사람은 성당의 미리엘 신부였다. 잠자리와 먹을 것을 대접했지만 그날 밤 장 발장은 은 접시를 훔쳐 달아난다. 하지만 경찰에게 붙잡혀 다시 성당으로 끌려온 장 발장을 본 신부는 은 접시는 훔친 것이 아니라 선물이었고 다시 은촛대까지 주며 장 발장을 경찰로부터 구해준다. 이후 장 발장은 신부가 베푼 용서와 사랑에 감동을 받고 진심으로 새로운 사람이 되기로 결심하지만, 가석방 중에 도망쳤기 때문에 자베르에게 평생 추적 받는 삶을 살게 된다.

다시 태어난 장 발장

"20년 전 잃어버린 내 삶을 되찾을 수 있을까? 애초에 희망은 없었다. 빵 한 쪽 훔친 죄로 쇠사슬에 묶여 살았다. 그의 용서가 내 영혼을 움직였던 걸까? 난 세상을 증오했고 눈에는 눈으로 갚는 차가운 돌처럼 살았지." 그런데 그는 날 딴 사람들과 똑같이 대했고 날 믿어줬고 형제라고 불러줬지. 생명은 신의 것이라고 했다. 내게 자유를 줬네. 죄악이 소용돌이치는 공허한 어둠의 세상이여! 이제 그 세계에서 벗어나리라! 장 발장의 세계에서. 장 발장은 이제 존재하지 않아. 새로운 삶

이 시작되어야만 하리라. -영화 〈레 미제라블〉 대사 중에서

성공한 장 발장

8년의 세월이 흐른 후 장 발장은 마들렌이란 이름으로 성공을 거두
며 사회봉사와 구제에 앞장선다. 그를 집요하게 추적하는 자베르는
"사람은 바뀌지 않아", "한번 도둑은 영원한 도둑이라며 사회질서를
위한 법과 정의에 입각한 통치가 필요하다는 강한 신념을 보인다. 경
감으로 승진한 자베르는 장 발장의 정체를 알아 차리게 되고 장 발장
은 오래된 누명으로 자베르에 의해 체포된다. 죽음을 앞둔 판틴이라는
여인은 장 발장에게 딸 코제트를 부탁했고, 그 약속을 지키기 위해 장
발장은 판틴의 딸(코제트)와 파리로 가게 되었고 그곳에 정착을 하며
코제트와 가족이 된다.

프랑스혁명의 장 발장

또다시 9년이 흐르고 장발과 코제트는 가난한 사람이 넘치게 된 파
리에서 혁명의 물결이 일어나고 코제트는 마리우스라는 청년과 사랑에
빠진다. 마리우스는 귀족 집안의 손자이며 혁명군으로 활동한다. 장 발
장은 딸이 사랑하는 청년 마리우스를 보호하기 위해 혁명에 뛰어들고,
장발장은 혁명군에게 잡혀있던 자베르를 아무 말 없이 용서하고 풀어
준다. 그러나 자베르는 자신의 완고한 신념이 무너진 것이 견딜 수 없
어 센강에 몸을 던져 투신하는 극단적 선택을 한다.

"원한을 원한으로 갚으려 하면 끝내 원한이 그치지 않으리니.
오직 참음으로 원한이 그친다." -법구경

사랑으로 소통하라

뮤지컬 영화 레 미제라블은 장 발장의 삶을 통해 프랑스혁명의 역사를 담아낸 작품이다. 노동자와 농민의 거친 저항과 혁명정신 그리고 가난한 사람들의 인간애를 다루고 있는 이 영화는 주인공 장 발장은 자베르 경감을 복수의 대상으로 생각하기보다는 원칙에 충실하고 타협하지 않는 자로 생각했기 때문에 원한 관계의 고리를 끊을 수 있었다. 또한 세상을 증오했고 차가운 돌처럼 사회를 원망했던 장 발장의 마음을 눈 녹듯 분노와 원망과 증오심을 사라지게 도와준 사람은 미리엘 주교와 코제트이다.

자베르는 완고한 신념 체계에 갇혀 스스로 자멸의 길을 선택하게 되지만 사랑과 용서의 능력에 따라 변화된 장 발장은 자신과 주위 사람을 살리는 생명의 길을 간다. 한 사람의 영혼을 어둠에서 신 앞으로 인도했던 미리엘 주교의 보이지 않는 사랑과 용서를 배울 수 있는 영화이다.

3. 낯선 것과 소통하라
-〈프리 윌리〉, 1993년 -

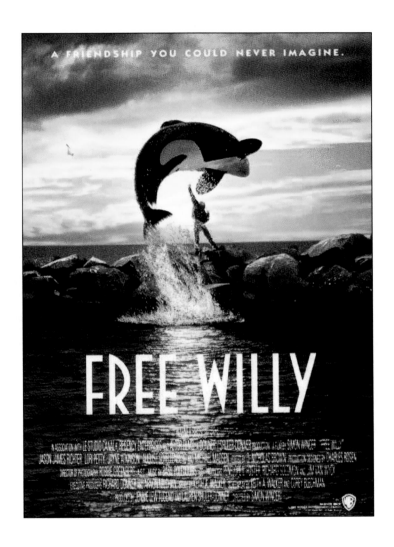

　　　　　●
　　　　　●
　　　　　●

"낯선 것과 조우를 통해 이성이 시작된다." -마르틴 하이데거

　인간은 습관적이고 익숙한 것에서는 새로운 생각이 일어나지 않는다. 이성도 감성도 낯선 것과 부딪칠 때 새로운 것이 탄생된다. 다른 환경과 상황에 부딪쳤을 때 창조적인 아이디어가 생긴다. 매일 낯선 정보를 마주하며 받아들이고 자신에게 맞게 습관이 길러질 때 비로소 낯선 것과 소통하게 된다.

　영화 프리 윌리(Free Willy)에 등장하는 범고래 윌리의 본명은 '케이코'로 1997년경 아이슬란드에서 태어나 생포되어, 멕시코시티로 팔려가게 되면서 고래 쇼를 하게 된 프리 윌리(Free Willy)는 실화를 바탕으로 한 영화이다. 그때 당시 동물 보호단체를 중심으로 케이코를 영화처럼 자연으로 돌려보내야 한다는 주장이 제기 되었던 이유는 차가운 아이슬란드 바다에 살던 케이코가 쇼와 영화를 위해 따뜻한 풀(Pool)에 갇혀 사육되면서 피부 손상, 근육 퇴화, 소화불량 등 야생으로 살아갈 능력을 잃게 되었기 때문이다. 그러므로 미국 오리건주 뉴포트에서 1998년부터 야생으로 살 수 있는 적응훈련을 시켰다. 그 후 2002년 아이슬란드 바다에 방생하여 야생 범고래 무리에 합류시켰으

나 오랫동안 인간의 손에 길러진 탓에 6주 만에 1,400km가 되는 거리를 헤엄쳐 돌아왔다.(케이코 등지느러미에 위치 추적 장치 부착) 윌리는 야생 범고래들과 합류하지 않고 죽을 때까지 노르웨이 연안을 벗어나지 않고 인간을 만나고 싶어 했고, 정기적으로 관리인이 주는 먹이를 먹으며 관리인 보트를 따라 산책하는 생활을 반복하다 2003년 폐렴으로 사망(27살)하게 된다.

낯선 것과 소통하라

범고래 윌리는 아이슬란드 넓은 바다에서 생포되어 거대한 수족관으로 옮겨지면서 가족과 헤어지게 된다. 한편 6살 때 고아원에 맡겨진 제시는 12살이 되었고 엄마가 언젠가 데리러 올 것이라 믿는다. 엄마를 기다리며 고아원 친구들과 방황하며 케이크를 훔쳐 먹다가 경찰을 피해 수족관으로 숨는다. 그곳에서 락카에 낙서 하다 경찰에게 붙잡힌다. 제시는 낙서 지우는 일과 입양을 가야하는 두가지 조건의 벌칙을 받는다. 제시는 낙서를 지우다 그리운 엄마 생각에 하모니카를 부는데 윌리가 슬픈 울음으로 반응을 보인다. 이 둘은 서로의 아픔을 이해라도 한 듯 의사소통하며 믿음과 우정을 쌓아간다.

윌리(범고래)는 조련사의 말을 듣지 않고 쇼에서 재주 부리는 것을 거부하지만 제시와는 교감을 한다. 이를 알아차린 관리인 랜돌프는 제시를 윌리의 조련사로 고용하고 행복한 시간을 보내지만 공연하는 첫날 사람들의 소음 때문에 윌리가 긴장하게 되어 공연을 망친다. 크게 실망한 제시는 등대 탑에서 먼 바다에 있는 윌리의 가족을 보게 되고 한편 수족관 사장은 골칫거리가 된 윌리를 죽여서 보험금을 타 내려는 음모를 꾸민다. 이를 알게 된 제시와 제시 양부모님 그리고 랜돌프 조련사는 범고래 윌리를 자연으로 돌려보내는 데 성공하면서 윌리는 자유의 몸이 된다. 감독 사이먼 윈서의 프리윌리(Free Willy, 1993)는 세상으로부터 상처받은 두 영혼 제시와 윌리가 우정을 나누고 점점 마음의 벽을 허물어가는 모습을 설득력 있게 그려냈기 때문에 지금까지 고전 명작으로 불린다.

길들여진다는 건 뭐야?

"길들여진다는 게 뭐지? 어린왕자가 말했다. 그건 서로 좋은 관계를 맺는다는 뜻이야. 여우가 말했다. 누군가에게 길들여진다는 것은 눈물을 흘릴 일이 생긴다는 것인지도 몰라". -생텍쥐페리 《어린 왕자》 중에서

프랑스 작가 생텍쥐페리의 소설 《어린 왕자》를 보면 어린 왕자와 사막여우가 서로를 길들이면서 서로에게 세상 단 하나뿐인 존재가 되어가는 장면이 나온다. 생각지도 못한 익숙함은 어느새 몸에 배어 버리고 자연스럽게 오늘도 길들여지고 또 길들여지는 삶을 살아 간다. 자신의 인생을 주인으로 살지 않으면 다른 사람에게 지배당하게 된다. 누구에게 또는 어떤 상황에 길들여진다는 것, 익숙해진다는 것, 변하지 않는 것, 있는 그대로 머물러 있는 것은, 어찌 보면 새로운 세계에 대

한 탐구와 도전을 포기하는 일이다.

낯선 것과 두려움은 공존한다.

반려동물과 함께 생활하는 1,500만 명 시대에 맞추어 동물과 사람의 공존을 그려낸 영화로 제시와 범고래 윌리 이 두 존재는 고아라는 동질감과 엄마의 부재라는 공통점이 있다. 따라서 제시는 엄마를 그리워하는 마음을 하모니카 소리로 표현하게 되고, 우연히 이 소리에 윌리는 가엾은 울음으로 반응한다. 제시와 윌리의 교감하는 장면은 우리의 가슴에 따뜻한 메시지로 전하는 공감능력이자 이심전심(以心傳心)의 마음이다. 그래서 이 둘은 쉽게 친구가 된다. 그러나 길들여진다는 것과 익숙해진다는 것이 얼마나 무서운 일일인지 영화는 깨닫게 해준다.

사람도 자신이 태어난 곳 익숙한 곳만 선호하게 된다면 어떻게 될까? 물론 새로운 길 낯선 길을 가보지 않은 미지의 세계에 가려고 한다면 두려움은 반드시 동행하게 된다. 따라서 조금 두렵지만 보이지 않는 것을 믿고 한 발짝 내디뎌 보는 용기가 필요하다.

> "아는 세계에서 모르는 세계로 넘어가지 않으면 우리는 아무것
> 도 배울 수 없다." -프랑스 생리학자 클로드 베르나르

두려움은 실체가 없지만 감각으로 느껴지는 불편한 감정이다. 두려움의 근원은 자신을 보호하기 위한 아주 오래된 메커니즘이고 학습된 결과이다. 자신을 보호하려는 두려움이 없었다면 인류는 멸종되었을 것

이다. 오랜 세월 동안 자연적으로 인간의 유전자 속에 녹아 있는 그 두려움은 없애는 것이 아니라, 나 자신과 공존하면서 소통해야 한다. 두려움을 나쁜 것이라 여기며 옆으로 미뤄놓고 관심도 두지 않으면 이 두려움은 우리 몸을 해치기도 하는데 근육을 뭉치게 하고 두통을 유발하는 등 신체화 현상을 나타낸다. 그렇기 때문에 두려움과 친하게 지내는 방법을 배워야 한다.

"낯섦에 직면할 때 비로소 사유가 눈을 뜬다." -독일 철학자 마르틴 하이데거

두려움 직면하기

사람은 태어나서 살아가면서 사회화가 되어간다. 즉 길들여진다는 의미다. 윌리가 따뜻한 수족관에서 사육되면서 인간에게 길들어져 야생으로 살아갈 능력을 잃어버린 것처럼 사람도 일상의 편안함에 길들어서 익숙한 그대로 살아간다면 길들여 지지 않은 새로운 것 낯선 것에 도전하는 능력을 잃게 된다. 따라서 낯선 것에 느껴지는 두렵고 불편한 감정을 마주하고, 그 감정을 오롯이 느끼며 이해하는 것, "아! 그런 마음이었구나"라고 직면할 때 두려움은 물러난다.

두려움 극복하기

두려움은 우리 뇌의 변연계 일부인 편도체에서 일어난다. 편도체는 외부 정보를 평가해 주고 주로 감정을 증폭하는 역할을 하는데 두려움

은 우리 자신을 해칠 것이라는 걱정 때문에 생기는 감정이다. 빅터 플랭크는 "자극과 반응 사이에는 틈이 있다"고 했다. 이 틈새는 감정과 감정의 교차 지점으로 작은 공간이 있는데, 이는 우리가 어떻게 반응하는지 어떤 감정을 선택하는지에 따라 그 순간 결정할 수 있는 공간이다. 우리가 두려움이 밀려들 때 두려움을 거기서 멈추지 않고 회피하지 않고 진정한 두려움을 직면하고 이해하게 되면 어느 순간 두려움이 가라앉고 줄어들면서 곧 사라지게 된다. 우리가 두려움을 극복하려면 가보지 않은 길을 도전해 보고 낯선 곳을 탐구해 보고 경험해 보는 것이다. 길들지 않는 세계에 대한 경험을 거부한다면 윌리 처럼 수족관에서 사육되어 야생으로 살아갈 능력을 잃어버린 것과 마찬가지일 것이다.

4. 고난으로 소통하라
- 〈올리버 트위스트〉, 2005년 -

동정 없는 세상을 고발하다

"인간은 역경을 통해 성장한다. 역경은 세상을 알게 해주는 경
쟁력이다."《논어》

찰스 디킨스 소설《올리버 트위스트》는 19세기 영국 산업혁명 시대
도시 하층계급의 삶을 보여주는 소설이다. 이 작품은 권선징악의 대중
소설이지만 영국 사회의 불평등한 계급구조와 산업화 폐해를 생생하게
반영한 시대 비판 정신이 담긴 명작으로, 로만 폴란스키 감독이 〈올리
버 트위스트〉 영화를 제작했다.

찰스 디킨스는 소설을 통해 19세기 영국 도시의 하층민 사회의 현실
을 올리버 트위스트라는 주인공을 내세워서 사회는 생각보다 정의롭지
않고 편협하며 사악함을 방치하고 조작된 증거를 바탕으로 판결을 쉽
게 내리는 세상이며 이익을 보려고 남을 이용하는 사람들로 가득 찬
현실을 생생하게 보여준 소설이다. 이 이야기는 오늘날 살아가는 우리
에게도 어떻게 살아가야 하는지에 대한 큰 울림을 준다. 21세기를 살
아가는 우리들의 현실 속에서도 자본가들은 넉넉함에 편안한 생활을
누리지만 아직도 어려운 생활로 해결 방법을 찾지 못해 죽음을 선택하

는 빈익빈 부익부가 공존하는 세상이다. 이때 나는, 우리는 어떤 삶을 살아냈고 어떻게 살아야 행복한 삶을 누릴 수 있는지 한 번쯤 생각해 볼 수 있는 영화이다.

"역경은 한 인간을 힘들게 하지만, 역경을 통해 성장하고 발전 한다."《주역》

고난의 여정 끝에 찾아온 자유

부모의 얼굴도 모른 채 구빈원에서 태어난 올리버는 고아원으로 보내졌다가 9살이 되어 다시 구빈원으로 돌아온다. 수감복을 입고 또래들과 낡은 밧줄에서 섬유를 뽑아내 뱃밥 작업을 한다. 구빈원에서는 아이들에게 힘든 노동을 시키고 겨우 적은 양의 급식으로 끼니를 채우지만 아이들은 늘상 배가 고프다. 배가 고픈 아이들 사이에서 급식을 더 달라고 말해줄 대표로 올리버가 뽑히게 되고 올리버는 "Please Sir. I want some more."(죽 좀 더 주세요)라고 요구 했다가 구빈원 원장에게 매를 맞고 범죄자 취급을 받게 된다. 구빈원에서는 "이 아이를 데려가는 사람에게 5파운드를 지급하겠다."라는 광고를 붙인다.

먼저 올리버를 굴뚝 청소부 견습생으로 데려가려 하지만 올리버가 거부하게 되므로 두 번째 장의사 소어 베리에게 5파운드에 팔려 간다. 그러나 그곳에 함께 일하는 노아라는 소년은 장의사 소어베리에게 인정받는 올리버를 노아 클레아폴의 시기와 질투심으로 모함을 한다. 그리고 장의사 소어베리 부부에게 감금당한 올리버는 그곳을 탈출한다. 80마일이 넘는 런던으로 무작정 떠난 올리버는 장물아비 페이긴의 소매치기 소굴로 들어간다. 그 곳은 굶지 않아도 되었고 학대하는 사람도 없어서 좋았던 올리버는 편안한 생활도 잠시 뿐, 어느 날 소매치기 수업을 받고 실전을 시작한 첫날부터 도저와 찰리가 소매치기하는 것을 보고 있다가 범인으로 몰리게 된다. 이를 목격한 서점 주인의 증언으로 풀려나게 되고 노신사 브라운 로우는 집으로 데려가 올리버를 보호해 준다. 소매치기 소굴에서 벗어난 올리버는 어느날 브라운 로우의 심부름으로 밖에 나갔다가 페이긴 일당에게 다시 잡혀서 소매치기 소굴로 끌려간다. 올리버에게 동정심을 느낀 낸시(창녀)는 올리버가 이 소굴에서 빠져 나가도록 돕다가 페이긴 일당 빌 사이크 라는 인물에게 무참히 살해당 한다. 빌 사이크는 도망 중에 옥상에서 발을 헛디뎌 추락하여 죽게 되면서 올리버는 무사히 구출된다.

소설이 쓰인지 200년이 지난 지금도 세상에는 많은 노아 클레이폴 같은 아이들이 존재한다. 노아는 올리버를 괴롭히는 인물이었지만, 노아도 가정폭력의 희생자였고 어린아이로 힘든 시절을 살아낸 그의 행동을 보면 비난 보다는 마음이 짠하다. 범죄를 직업으로 삼아 생계를 유지하는 아이들을 이용해 값진 물건을 챙기는 어른인 페이긴과 사익스 같은 모습들이 존재하지 않기를 기대해 본다.

"지금의 걱정과 고난이 훗날 나를 살게 할 것이다. 지금의 즐거

움과 안락함이 나를 죽게 할 것이다."《맹자》

생존을 위한 악한 어른, 생존을 위해 무력한 아이들

세상에는 생존을 위해 소매치기 범죄를 저지르는 악한 어른들이 있는가 하면, 브라운 로우처럼 올리버를 믿어주고 인생 궤도를 바꾸어주는 선한 어른도 있다. 한 사람으로서 부모의 사랑을 받으며 꿈을 키워나가야 할 시기에 폭력과 협박을 경험한 어린아이들은 정신적 육체적 정서적으로 받은 상처와 낙인은 쉽게 사라지거나 고쳐지지 않는다. 결국 이러한 상처들은 미래 가해자가 되는 일에 큰 영향을 미치게 되기도 한다.

고난 속에 꺼지지 않은 진실함

우리는 영화라는 작품을 통해 새로운 사회문제를 알게 되기도 하고, 기존 사회문제의 심각성을 깨닫기도 한다. 이 영화는 올리버가 소매치기 일당과 지냈던 영국의 뒷골목 모습을 보여준다. 19세기 영국 사회의 어두운 면(빈익빈 부익부의 양극화 현상)을 고스란히 영화 속에 녹여낸 〈올리버 트위스트〉를 보면서 인류가 생긴 이래 사람들의 삶은 한 순간도 평등했던 적이 없었다는 생각이 든다.

구빈원에서 태어나 불우한 유년 시절을 보낸 올리버는 따뜻한 심성과 순수한 영혼을 가진 소년이다. 인간은 똑같은 육체와 정신을 갖고 태어나지만 누구에게는 안정된 생활이 보장되고 누구에게는 가혹한 형벌과 같은 상황이 주어지기도 한다. 모든 사람에게 인생은 즐거움이나 행복만 있는 것이 아니라 고난과 역경의 삶을 살아내야 하는 사람도 있다. 그러므로 이 소설이 위대할 수 있었던 이유는 생명을 잃을 수 있는 절박한 상황에서도 죽음을 두려워하지 않고 진실하고 담담하게 나아갈 수 있었던 어린 영혼의 순수함이 있었기 때문일 것이다.

이 작품이 오늘날까지 사람들에게 사랑받고 있는 것은 아마도 이 영화작품 안에 사회적 메시지와 도덕적 가르침을 담아냈기 때문이며, 문학적 가치와 사회적 의미를 담고 있기 때문이다. 따라서 올리버는 동정 없는 세상에 물들지 않는 진실한 마음을 가진 소년이었고 어린 영혼의 순수함은 세상을 살아가는 우리에게 한 줄기 빛과 같다.

5. 마음으로 소통하라
-〈영웅〉, 2002년 -

"역사를 통해 미래를 배울 수 있다." -역사학자 토인비

  역사 교육에는 두 가지 의미가 있다. 하나는 자신의 정체성을 깨닫는 것이고, 다른 하나는 과거의 잘못을 반복하지 않는 자세를 배우는 것이다. 선조가 어떤 노력을 했을 때 민족이 번영했고, 멸망할 때 어떤 잘못이 있었는지를 깨닫는 다면 우리는 미래를 예측할 수 있다. 역사는 반복적이며 동시에 새로운 것이기 때문이다. 영화 《영웅》의 대사 중에는 "조국이 무엇입니까?" "조국이 대체 무엇이기에 목숨까지 바칠 수 있었습니까?"가 나온다. 영화 《영웅》의 주인공 안중근은 영웅이기 전에 아버지였고 남편이었고 아들이었다. 소중한 가족을 뒤로하고 목숨을 걸고 지켜내려 했던 나라가 어떤 나라였고, 사랑하는 마음이 얼마나 커야 가능한 일이었을까? 1909년 10월 26일 아침, 안중근은 이토 히로부미를 저격하고 생을 마감하기까지 그의 마지막 1년이라는 시간을 재조명한 뮤지컬 원작으로 제작된 영화이다.

역사에 대한 고증과 뮤지컬 원작의 영화 작품

  1905년, 조선이 을사늑약으로 나라의 주권을 빼앗기는 사건이 발생하자 우리나라 군대가 해산된 이후, 안중근은 연해주 중심도시 블라디

보스토크로 건너갔다. 그곳에 일제 침략에 맞서 싸우는 기지로 독립운동가들이 모여 들었고, 1909년 3월 뜻을 같이하는 11명의 동지가 자작나무에서 약지 손가락을 자르고 단지동맹으로 대한독립을 위해 몸 받치기로 결심한다. 깃발을 펼쳐놓고 그 피로 대한독립이라고 쓴 뒤 만세를 외쳤다. 이 비밀조직이 바로 '단지회'이다.

안중근은 독립군 동지 최재영, 우덕순, 조도선, 유동하, 마진주 등과 함께 거사를 준비하고 독립군 정보원 설희는 이토 히로부미가 러시아와 회담을 위해 하얼빈을 찾는다는 일급 기밀을 전한다. 하얼빈 역에는 일본 러시아 중국의 고위 간부들이 있었고 조선 초대 통감인 이토 히로부미가 하얼빈 역에서 내릴 때 3발의 총성은 이토를 명중시키고 안중근은 태극기를 꺼내 들고 러시아어로 "코레아 우라"(대한민국 만세)라고 외쳤다. 그 자리에서 체포된 안중근은 뤼순 감옥에 수감된다. 안중근은 전쟁포로가 아닌 살인의 죄목으로 일본 법정에 서게 되는데 누가 죄인인가, 누가 영웅인가! 일본에서는 테러범이지만 조선에서는 독립투사였다.

단지동맹-결의

"나 이 순간 맹세 하나니 내 조국 위하는 우리의 열정,
우리 여기 모여 함께하는 순간 결코 저버리지 않으리."

독립을 위해 모인 11명 동지는 단지동맹 증표로 자신들의 손가락을 자르며 조국의 독립을 결의하고 안중근은 조선을 침략한 이토 히로부미를 3년 내 처단하지 못하면 자결하기로 피로 맹세한다. 대한독립에 대한 의지를 불태우는 장면은 오늘날 찾아볼 수 없는 역사적인 사실이다. 가슴이 먹먹하다.

독립의 그 날을 위해-희망

조국의 독립을 향한 동포들의 간절한 염원이 한 목소리로 울려 퍼진 그날을 기약하며 거리로 쏟아져 나온 수많은 동포의 목소리가 합해진 감동의 선율 장면은 보기만 해도 이들의 용기에 가슴이 먹먹한 울림이 있었다. "우리 외침 세상이 들으리라. 민족의 울음 뜨거운 열정 사랑하는 조국을 위해." 이 합창하는 장면은 나라를 위해 희생을 아끼지 않았던 수많은 독립투사를 향한 존경심을 불러일으켰고, 150명의 배우가 투입되어 함께 노래를 부르는 이 장면은 이름도 모르는 독립 운동가들이 투영되기도 했다.

어머니의 숭고한 편지

하얼빈에서 이토 히로부미를 사살한 뒤 일본 법정에서 사형판결을 받는다. 그 후 1910년 3월26일 31살의 젊은 안중근은 어머니가 손수 지은 수의와 함께 어머니의 기도가 담긴 편지를 받게 된다.

"장한 아들 보아라. 네가 만약 늙은 어미보다 먼저 죽은 것을 불효라 생각한다면 이 어미는 웃음거리가 될 것이다. 너의 죽음은 너 한 사람의 것이 아니라 조선인 전체의 공분을 짊어지고 있는 것이다. 네가 항소를 한다면 그것은 일제에 목숨을 구걸하는 짓이다. 네가 나라를 위해 이에 이른 즉 딴맘 먹지 말고 죽어라. 여기에 너의 수의를 지어 보내니 이 옷을 입고 가거라. 다음 세상에서는 반드시 선량한 천부의 아들이 되어 이 세상에 나오너라."

어머니의 편지를 받고 안중근은 항소하지 않기로 하고 어머니가 보내준 수의 한 벌을 입고 당당하게 사형대에 오른다. 그렇게 죽음을 맞이한 안중근 의사의 시신은 현재도 찾을 수 없다고 한다.

노래를 마음으로 소통하다

하얼빈에서 이토 히로부미를 사살한 뒤 안중근은 거사 이후 일본법정에 서게 된다. 안중근은 삼엄한 분위기 속에서도 조국의 독립에 대한 신념과 일제의 만행을 "누가 죄인인가"의 가사를 통해 명백하게 밝혀 관객들에게 강렬한 공감을 이끌어냈다.

"누가 죄인인가! 누가 영웅인가! 나라를 위해 싸운 우리, 과연 누가 죄인인가!

우리를 벌할 자 누구인가! 우리들은 움직였다."

일제에 맞서 저항운동을 했던 안중근은 자신의 인생보다 조국의 독립을 원했고, 그 일이 곧 선(善)이고 사명이라 여겼던 것 같다. 그리고 안중근 이라는 역사적 인물 뒤에는 숨은 어머니의 존엄한 정신이 있었다. 안중근 의사는 31세 젊은 나이에 어머니가 손수 지은 옷을 단정히 입고 당당하게 조국을 위해 죽음을 맞이했다. 이런 숭고한 선열들의 피로 지켜낸 땅을 밟고 살아가는 나는 이 역사를 통해 어떤 사람으로 살아내야 하는지 그들이 역사 속에 숨겨진 숭고한 죽음과 희생을 다시 한번 되새기게 한다. 대한민국 국민이라면 당연히 알고 있어야 하고 잊어서는 안 될 자주독립의 역사를 소재로 한 이 영화는 요즘 정치적 뉴스를 보면서 애국심의 본질이 무엇인지 다시 한번 생각하게 한다.

감성 캘리테라피

한글 팝아트

하지원 소장
(주식회사 플로리시 미술치료 대표)

'소리를 그리다. 캔버스에 그리는 한글'

문자(Text)는 인간이 사용하는 시각적 의사소통 체계입니다. 말의 음과 뜻을 눈(시각)으로 읽을 수 있도록 단어의 소리와 의미를 보여주는 기호로 글자라고도 합니다.

글자는 인간의 의사소통 수단체계 중 하나로 가장 발달한 것입니다. 시간과 공간에 구애받지 않고 언제 어디서나 상호 간 의사전달이 가능하다는 장점이 있습니다.

사람의 말은 입에서 나온 순간 곧 사라져 버립니다. 하지만 이를 시각적인 기호로 바꾸어 놓은 문자는 기록이 가능하여 멀리까지 전송할 수 있어 영구적입니다.

본격적으로 문자가 의사소통의 수단으로 이루어지기 전에 인간은 청각 언어의 한계를 극복하기 위해 다양한 시각적 보조 장치를 사용하였습니다. 돌, 진흙, 천, 나무 표면에 그림을 그려 의사소통 수단으로 활용하고, 약속에 따라 언어단위와 연관된 기호나 상징적인 부호를 사용하기도 했습니다.

그림은 문자 이전 인간의 의사소통의 한 방식이고, 현대 회화로 이어져 문자 외의 비언어적 의사소통(communication)의 또 다른 표현체계입니다.

현대미술에서 회화는 예술가와 감상자를 연결하는 소통의 매개체가 됩니다. 작품을 통해 자신들의 생각을 자유롭게 표현하고 이해하는 것이 최고의 소통 가치를 가집니다.

'한글 팝아트'는 말 그대로 한글과 팝아트의 합성어로, 한글을 그림으로 변형시킨 시각예술입니다. 문자로서의 세계적 우수성과 독창성을 인정받고 있는 아름다운 한글을 시각화하고, 그 의미를 상징적으로 기호화하여 표현한 것입니다.

한글 팝아트는 한글을 문자로서의 의사소통 역할뿐만 아니라 비언어적 의사소통의 체계로 바라보았습니다. 아울러 전달하고자 하는 글자의 의미를 연구하여 선과 색, 오브제의 다양한 기법을 써서 그 글이 내포하고 있는 심상을 심미적으로 표현하였습니다.

1. 문자 한글

문자의 종류

문자에는 표음문자와 표의문자가 있습니다. 표음문자는 사람의 말소리를 기호로 나타내는 문자이고, 표의문자는 사물의 모양을 모방하거나 그려서 시각적으로 의미를 전달하는 문자입니다.

가장 대표적인 표음문자는 셈족이 만들어 사용한 알파벳의 기초가 되는 글자들입니다. 이 글자 들은 지중해 연안을 거쳐 페니키아인들을 통해 한국과 일본 문자에도 영향을 주었습니다. 그중에서 우리나라의 '한글'은 세종대왕과 집현전 학자들이 1446년에 만든 것으로 지금도 고유어로 쓰이고 있습니다.

표음문자-한글

대표적인 표음문자인 한글은 조선 시대인 1443년 세종대왕이 창제해 1446년 반포한 문자 체계로 <훈민정음> 서문에 자주, 애민, 실용의 동기를 담았습니다.

한글은 공포 당시 28자였으나 4자가 사라졌고, 현재는 24자가 사용되고 있으며, 자음과 모음으로 구성된 소리글자입니다.

자음은 어금닛소리. 혓소리. 입술소리. 잇소리. 목소리의 5가지로 나누어 발음기관의 모양을 본떠 만들고, 그 세기에 따라 획을 더했습니다. 모음은 천지인의 세 가지(·, ㅡ, ㅣ)를 기본으로 이를 조합하여 모음 'ㅗ, ㅏ, ㅜ, ㅓ'를 만들었습니다. 아울러 한글은 '정음', '언문', '반절' 등으로 불렸으며, 19세기 말에 '국문'을 거쳐 1910년대부터 현재의 '한글'로 부르기 시작했습니다.

2. 소리글 한글

한글은, 표음문자로서 한국어의 음소를 적는데 가장 합리적인 체계를 가지고 있습니다. 한글의 음절을 닿소리와 홀소리로 나누고, 받침을 닿소리가 다시 쓰이게 함으로써 가장 경제적인 문자인 동시에 알타이어계 언어의 공통적인 특징인 모음조화를 잘 반영할 수 있도록 만들어졌습니다. 아울러 보편적인 음성기호로 사용해도 충분할 만큼 조직적이며 무한한 음성 표현방식을 가지고 있습니다.

한글은 음절 구성원리가 단순해 배우기 쉽고, 영어나 프랑스어처럼 위치에 따라 글자와 소리가 거의 차이가 나지 않습니다.

한글은 문자 형태의 음성적 차별을 가장 함축적으로 반영하고 있으며, 문자의 요소도 체계적으로 구성되어 있어 언어학자들 사이에서 그

독창성을 높게 평가받고 있습니다. 이에 한글은 음운의 무한한 표현들을 예술적으로 재구성할 수 있을 만큼의 충분한 가치가 있다고 생각합니다.

한글의 원리(닿소리)

15세기 조선 언어학자들은 한글을 제정하기 위해 한글의 닿소리를 소리가 나는 곳에 따라서 어금니 소리, 혓소리, 입술소리, 이빨 소리, 목소리 등 5가지로 나누었습니다. 이어 이 다섯 가지 소리를 하나씩 분류하여 어금니 소리 / k /, 혓소리 / n /, 입술소리 / m /, 이빨 소리 / s /, 목소리 / (소리 없음) /와 구별하여 그 소리를 낼 때의 소리 내는 각 기관의 모양을 본떠서 그에 해당하는 글자를 만들었습니다.

닿소리를 내면 활발한 혀나 아랫입술이 마주 보는 곳으로 가거나 아주 가까워지기 때문에 소리 기관의 움직임을 비교적 잘 이해할 수 있습니다. 치아에 닿는 소리의 글자는 소리 기관의 모양을 본떠서 만든 것입니다.

<어금닛소리>

어금닛소리의 / k /는 혓바닥의 뒤쪽을 여린입천장에 올려붙여 내는 소리이므로 이 경우 혀의 모양을 직선으로 그려 'ㄱ'자를 만들었습니다.

<혓소리>

혓소리의 / n /은 혀끝을 윗잇몸에 붙여 내는 소리이므로 그 혀의 모양을 직선으로 그려 'ㄴ'자를 만들었습니다.

<입술소리>

입술소리의 / m /은 입술을 닫고 소리를 내므로 입술의 모양을 그려 'ㅁ'자를 만들었습니다.

<잇소리>

잇소리의 / s /는 혀끝을 갈아서 나오는 공기의 흐름이 윗니 끝을 스쳐서 나는 소리이므로 이의 줄을 본떠서 'ㅅ'자를 만들었습니다.

<목소리>

목소리의 / 소리 없음 /은 목구멍의 둥근 모양을 그려서 'ㅇ'자를 만들었다. 아울러 나머지 글자들은 그 소리 나는 힘에 따라 이 다섯 글자에 각각 획을 하나씩 더해서 만들었습니다

한글의 원리(홀소리)

홀소리를 낼 때는 혀가 입 중간에서 움직이고 곡선의 모양에 따라 소리가 나뉘기 때문에 혀의 움직임을 정확하게 묘사하기 어렵습니다.

그 결과 조선시대 언어학자들은 홀소리 문자를 만드는 것이 어려웠고, 촉각 문자와는 전혀 다른 곳에서 소리가 나는 문자 원리를 발견했습니다.

홀소리는 / ^. o. a /, 깊은 인상을 주는 소리, / i, u, e /, 중간 인상을 주는 소리, / i, u, e /, 얕은 인상을 주는 소리, / i /(중립) 로 구분하였습니다.

소리 가운데 양에서는 / ^ /, 음에서는 / i /, 중성에서는 / i /를 대표로 정하여 이 세 가지의 소리를 적는 글자를 각각 하늘, 땅. 사람(천. 지. 인)의 모양을 본떠서 만들었습니다. 하늘의 둥근 모양을 본떠서 만든 '·', 땅의 평평한 모양을 본떠서 만든 ' ㅡ ', 사람이 서 있는 모양을 본떠 ' ㅣ '로 표기하였습니다.

하늘과 땅과 사람의 모습을 본 떠 만든 모음의 기본자에 이를 결합하여 11개의 모음을 만들었고, 세월이 흘러 '·'가 사라지면서 지금의 모음체계인 'ㅏ, ㅑ, ㅓ, ㅕ, ㅗ, ㅛ, ㅜ, ㅠ, ㅡ, ㅣ' 10개의 모음이 현재까지 사용되고 있습니다.

"소리로 하늘과 땅과 사람을 잇고
세상을 이야기하다"

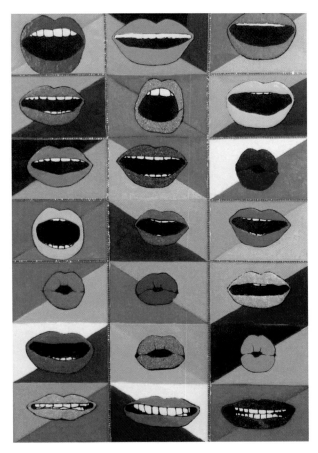

소통. 100.0×65.1cm canvas acrylic. objet, 2015.

위 작품은 한글 모음 21개를 순서에 따라 소리를 낼 때의 입 모양을 본 따 시각적으로 표현한 '한글 팝아트' 작품입니다. 바탕은 색채치료에서 긍정을 상징하는 색채를 사용했습니다.

색채치료 컬러테라피(Color Therapy)는 색(Color)을 통해 내면의 감정을 파악해 심신의 균형을 되찾도록 하는 심리 진단. 치료방법입니다. 트랜드 지식 사전에 따르면 인간이 색을 바라보면서 어떤 반응을 보이거나 선택을 할 때는 뇌 속에서 일어나는 메커니즘에 기반을 두는데, 이는 색이 인간의 심리와 가장 깊은 관계를 맺고 있기 때문이라고 정의하였습니다.

한글 팝아트 작품 "소통"에서는 색채치료 컬러테라피(Color Therapy) 중에서도 긍정적 심리를 다룬 색채를 적용하여 말을 할 때는 어떻게 말할지를 생각하고 말하라는 뜻을 담았습니다. 아울러 입안에는 거울을 붙여 감상자로 하여금 자신의 모습이 비치게 의도하였습니다.

"가는 말이 고와야 오는 말이 곱다."

옛 속담에 "가는 말이 고와야 오는 말이 곱다."라는 말이 있습니다. 말에는 힘이 있고, 말을 어떻게 전달하느냐에 따라 받아들이는 사람이 느끼는 감정은 저마다 다릅니다.

위 작품 "소통"은 "관계"의 중요성을 상징적으로 담았습니다. 사람들은 저마다 타인의 말을 듣기보다 자신의 말을 들어주기를 원합니다. 어쩌면 당연한지도 모르겠습니다. 이는 심리적으로 나를 봐달라, 나를 알아달라는 내면의 소리입니다. 글을 쓰고 있는 저도 마찬가지입니다. 독자에게 저의 작품 이야기를 들려드리려고 이렇게 책을 쓰고 있으니 말입니다.

이처럼 작품 "소통"은 "말을 한다."가 아닌 경청의 뜻을 담아 "말을 제대로 "듣는다"의 의미를 상징적으로 담았습니다. 제대로 들어야 그 속에 내포하고 있는 상대의 감정과 전달하고자 하는 내용을 정확히 알아차릴 수 있습니다.

3. 그림글 한글

선

선이 없는 예술은 없습니다. 작가는 선을 통해 자신의 내면을 그리고, 그것을 작품으로 구현해 냅니다. 이것은 선이 인간의 시각적, 언어적 의사소통을 가능하게 하는 표현 수단임을 의미합니다.

동양에서의 선은 내면의 심성을 표현하는 의미로 높은 상징성과 정신성을 가집니다. 동양 미술에서의 선은 한 횟을 긋는 것을 의미하며 부드럽고 자연스러운 선으로 이루어졌습니다.

　서양미술에서의 선은 물체의 윤곽을 이루는 선으로 정의되며, 무언가의 금을 그리는 선도 선이라고 합니다. 하여 서양화에 사용되는 선과 동양화에 사용되는 선이 내포하고 있는 느낌은 사뭇 대조를 이룹니다.

　선(線)에는 수직선(數直線), 수평선(水平線), 사선(斜線)이 있으며, 또한 유기적(有機的)인 선과 무기적(無機的)인 선이 있습니다. 수평선은 고요함이나 휴식을 수직선은 활동성을 대각선은 속도감을 연상시키며, 각각의 선들은 방향성을 표현합니다.

　선에 의한 표현은 단순한 대상의 묘사가 아닌 그 자체로써 리듬감과 생명감을 가집니다. 선은 점의 움직임이며 흔적의 표현으로 특유의 암시성을 지닙니다.

　선은 형태에 따라 각기 다른 감정을 떠올리게 합니다. 차분한, 신경질적인, 빠름, 단순함, 복잡함, 자유분방함, 발랄함 등 선의 폭과 필 압에 따라 감정의 표현이 다양하게 느껴집니다. 이는 선이 만들어내는 형에 의해 우리가 대상을 인식하기 때문입니다. 이처럼 일상에서 그림

을 그리고, 글을 쓰고, 무언가를 표시하고, 의사소통하는 등 선의 표현
은 무궁무진합니다.

팝아트(Pop Art)

미술대사전에 따르면 팝아트라는 용어는 파풀러 아트(Popular Art)
의 줄임말로 1960년대 뉴욕을 중심으로 일어난 예술 트렌드를 의미합
니다.

팝아트는 몇 가지 특징이 있는데, 첫째는 일상적인 사물에서 소재와
재료를 찾는 것입니다. 작품 속 일상적이고 보편적인 사물을 묘사함으
로써 대중의 현실적인 삶과 현상을 유머러스하고 풍자적인 언어로 표
현합니다.

둘째, 표현하고자 하는 방식에 따라 대량 복제, 반복적 패턴, 사진기
술로 다양한 표현이 가능합니다.

셋째, 팝아트는 사회성을 내포합니다. 기존 인쇄물에 의해 재현된 이
미지와 복제품의 난발을 미술작품을 통해 풍자하고 비판하여 시대의
사회현상을 위트 있게 풀어나갑니다. 이에 현대사회를 살아가는 작가
와 대중에게 '사회적 소통과 관계'에 대한 해소의 역할을 한 예술로서

대중예술이라 말합니다.

팝아트의 색

팝아트의 색은 독특한 조합의 특징이 있습니다. 밝고, 생생하고, 열정적이고, 대담하며, 날카롭고 자극적인 시각 효과로 흔히 접하는 대중적인 색상을 추구합니다. 이는 광고의 속성을 차용한 것으로 대중의 시선을 만족시키고 사로잡아야 하기에 팝아트의 색채는 원색적이고 화려하며 강렬한 색을 사용해 대중을 매료시켰습니다. 이에 팝아트는 당시 미국의 젊은이들을 사로잡았고, 그들은 직접적인 색의 구성에 열광적인 반응을 보였습니다. 젊은 세대뿐만 아니라 팝아트의 형태가 합리적이라고 생각하는 사람들은 누구나 매료되었습니다.

다양한 원색과 상업적 색채의 사용, 대담하고 의도된 색채의 사용, 깔끔한 윤곽 처리 등 선명하고 생생한 색채의 대비는 회화계에 새로운 가능성을 제시했습니다. 이전에는 시도하지 않았던 새로운 스타일의 컬러와 이미지를 혼합하여 대중들에게 어필하여 팝아트라는 대중적인 예술 트렌드를 확립하였습니다.

이러한 팝아트의 색채와 이미지는 급변하는 시대상을 고스란히 녹여내어 대중들과 함께 시대를 대표하는 대담하고 자유로운 표현으로 성장하였습니다.

한글 팝아트

한글 팝아트(Korean,Pop Art)는 작품을 통해서 같은 시대를 살아가는 작가와 대중이 사회적 관계망을 형성하기 위한 글자의 회화적 표현 방식입니다.

한글 팝아트의 외곽선은 동양의 선을 직관적으로 형상화하고 '먹'을 사용한다는 점에서 기존 팝아트의 외곽선과는 사뭇 다릅니다. 한글 팝아트의 외곽 경계선은 동양의 '전각' 기법에서 영감을 받았습니다.

한국민족문화대백과사전에 의하면 전각(篆刻)은 나무. 돌. 옥 등에 새겨 제작하는 예술입니다. 문자의 함축된 힘은 시간의 흐름과 공간의 다름이 주는 다양한 인간사가 내포되어 있습니다. 전각은 이런 인간사를 작은 공간 안으로 끌어와 나누고, 채우고, 여백을 주는 문자예술의 한 형태입니다.

한글 팝아트에서의 색은 기존 팝아트와 같이 강렬한 색채를 사용함과 동시에 또 다른 특징이 있습니다. 글자가 의사소통의 전달 기능으로서 보이는 의식의 체계라면, 한글 팝아트에서의 색(color)은 보이지 않는 무의식의 체계로 색채치료 컬러 테라피(Color Therapy)를 더하였습니다. 이는 보이지 않는 내면의 무의식을 의도적으로 드러내어, 전달하고자 하는 글자에 무의식적 상징을 담아 그 의미를 더욱 극대화하기 위함입니다.

한글 팝아트는 글자를 통해서 대중들과 함께 어려운 현 사회문제들을 정확히 바라보고, 올바로 풀어나가기 위한 대중예술입니다. 아울러 천. 지. 인(하늘과 땅과 사람)을 담은 한글이 캔버스라는 하얀 공간을 만나 인생사를 이야기합니다.

한글 팝아트, 그 날을 그리다

1. 늘

잊지 않겠습니다. 이번 한글 팝아트 작품 '노란 바다'와 '기억의 바다' 그리고 '천 개의 바람'에는 조금 특별한 이야기들을 담았습니다. 2014년 4월 16일 안산 단원고 학생 325명을 포함해 476명의 승객을 태우고 인천을 출발해 제주도로 향하던 세월호 이야기입니다.

세 작품은 전남 진도군 앞바다에서 침몰한 세월호 304명의 희생자를 기리며, 애도의 마음을 담아 작업하였습니다. 물론 아직도 진실규명이 되지 않고 있는 사건이라 더 가슴이 아픕니다. 앞으로는 절대 일어나서는 안되는 일이기에 이날을 잊지 않고 기억하고자 합니다.

먼저 세 작품에서의 주된 재료로는 한글 팝아트의 특징인 먹선을 기본, 아크릴로 페인팅하고 오브제로 그 대상의 의미를 상징화하였습니다.

'노란 바다'와 '기억의 바다' 두 작품은 한글 "늘"이라는 한 글자 단어를 회화화 하였습니다.

"늘"이란 단어의 사전적 의미는 계속하여 언제나. 라는 뜻을 말합니다.

한글 "늘"은 영어로는 always, 영한사전에는 항상, 언제나, (기억하기로) 늘, (앞으로) 언제까지나의 뜻을 지니고 있습니다. 두 작품은 이러한 사전적 의미를 담은 한글 "늘" 글자를 통해 작품 속에 그 의미를 담았습니다. 아울러 따뜻한 위로의 의미를 가진 한글 "늘"을 통해 시간이 지나가도 '늘 잊지 않고 기억하겠다'는 의미를 내포하고 있습니다.

노란 바다

노란바다. 53.0×72.7cm, canvas acrylic.objet, 2022

두 작품 중 '노란 바다'는 전체적 작품에 "잊지 않겠습니다"의 의미를 담아 세월호 침몰사고 실종자들이 돌아오기를 바라는 유족들과 그들을 격려하는 국민들의 염원을 그렸습니다.

<하나의 작은 움직임이 큰 기적을> 이란 구호를 외치며 달았던 노란색 리본의 염원을 시각화하여 표현하였습니다.

이 작품의 기본색은 명제와 같이 노란색을 바탕으로 시작됩니다.
한글의 자음 "ㄴ"은 침몰하기 직전 세월호의 모습을 담았습니다. 아

울러 그 위로 흩날리며 멀어져가는 민들레로 당시 상황을 표현하였습니다.

4월에서 5월이 되면 피는 민들레는 그해 4월에 우리 곁을 떠나간 아이들의 눈물을 의미합니다.

'차마 떠나지 못하는 마음이야 오죽하랴,
사랑하는 사람이여 눈물을 거두어주오,
내 눈물 봄바람에 흩날리는 민들레가 되어
그대 곁에 맴돕니다'

상징적으로 표현한 민들레는 한창 피어날 시기의 아이들처럼 여러 의미를 지니고 있지만, 제가 하얀 민들레를 고른 이유는 꽃말 때문입니다.

꽃말은 "내 사랑을 그대에게 드려요"입니다. 울먹이며 부모를 애타게 찾던 아이들의 목소리가 생생하게 전해지던 그날의 방송을 기억합니다. '얼마나 공포스러웠을지, 얼마나 무서웠을지, 얼마나 보고 싶었을지, 그 다급했던 위기의 순간 가장 먼저 떠올렸던 사랑하는 소중한 사람들 잊을 수가 없습니다. 이에 캔버스 위에 그려 넣은 하얀 민들레는 안타까웠던 그날의 기억을 담았습니다.

작품 속 '노란 바다' 경계에는 젠탱글로 이미지화하였습니다. 젠탱글(Zentangie)은 Zen과 Tangle의 합성어입니다. Zen은 몰입의 상태, 평온한 상태를 뜻하며, Tangle은 복잡하게 얽힌 선, 패턴을 뜻합니다.

작가는 바닷속 첫 번째 경계선에 젠탱글(Zentangie)로 다양한 패턴을 그려 넣었습니다. 이는 차마 떠나보낼 수 없는 그러나 떠나보내야만 하는 유족들의 가슴 아픈 사연과, 말로 표현할 수 없는 복잡한 심경을 담기 위해서였습니다. 그 아래로 시신조차 찾을 수 없는 실종된 5명과 아울러 299명의 사망자를 표현합니다. 여기에서 저는 희생자들을 오브제(objet)로 표현하였습니다.

오브제(objet)의 사적적 의미는 물체, 대상, 객체 등의 의미를 지닌 프랑스어로 미술에서는 예술과 무관한 물건을 본래의 용도에서 분리하여 작품에 사용함으로써 새로운 느낌을 일으키는 상징적 기능의 물체를 말합니다.

'노란 바다' 작품에서 사용한 오브제는 황금색 큐빅입니다. 제일 아래에 299개의 큐빅으로 희생자들을 상징적으로 표현하고, 그 위로는 5개의 큐빅으로 실종자들을 나타내었습니다. 이렇게 오브제로 표현된 304개의 큐빅은 빛나는 청춘들의 이루지 못한 꿈과 삶을 대변합니다.

빛이 없는 어두운 심해에는 304개의 큐빅이 스스로 빛을 내고 있습니다. 그 깊이를 가늠하기조차 힘들기에 인간이 쉽게 접근할 수 없는 어둡고 두려운 미지의 영역입니다.

국방과학기술 사전에 의하면 심해(深海)는 태양광이 도달하지 못하는 약 4,000m 이하의 깊은 바닷속. '바닥이 없는 바다(abyss)'라는 그리스어에서 유래된 말로 지구상에서 가장 넓고 깊은 곳입니다.

이 끝도 없는 심해(深海) 어딘가에서 전해오는 소리는 애달픈 사랑과 시대의 아픔을 노래합니다. '노란 바다'에서는 노란색이 상징하는 긍정적인 의미인 '빛과 따뜻함'을 담았습니다. 아울러 노란색의 부정적 의미인 불안과 멈춤을 긍정적으로 해석하여, 남아 있는 유족들이 이제는 그 슬프고 불안한 마음을 멈추기를 바라는 마음도 함께 담았습니다.

기억의 바다

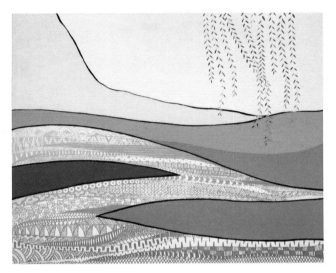

기억의 바다. 60.6×72.7cm, canvas acrylic.objet 2022

"늘"의 두 번째 작품 '기억의 바다'는 작품 전체에 "기억하겠습니다"의 의미를 담아, 당시 희생자들을 만든 2014년 4월 16일 그날을 잊지 않고 기억하겠다는 약속을 그렸습니다.

"기억"의 사전적 의미는 이전의 인상이나 경험을 의식 속에 간직하거나 도로 생각해낸다 입니다. 영어로는 remember, 기억하다(어떤 사람, 장소, 사건 등을 기억 속에 지니고 있다는 뜻), (어떤 사실을 마음속에 떠올려서) 기억하다, 명심[유념]하다 를 뜻합니다. 이에 '기억에서 사라진다는 의미는 머리에 기억된 것이 잊힌다는 뜻입니다.

이 작품의 기본색은 깊은 바다와 같이 푸른색을 바탕으로 시작됩니다. 한글의 자음 "ㄴ"은 바다와 맞닿아 있는 산의 모습을 이미지화했습니다.

"얼마나 높으면 산(山)이 될까."

우리말 백과사전을 쓴 이재운 님의 이 의문의 말이 제 작품 속에 재의문을 던져주었습니다.

"산이란 주변의 지면에 비해 높게 솟아있는 지형을 일컫는 말이지만 지형학에서는 대체로 지면과의 고도 차이가 수백 미터 이상인 것을 산이라고 부른다"에서, 저는 이 "산"을 밝은 하늘색(연한 파랑)으로 표현하여, 지면 위 맞닿은 산을 통해 맞닿지 못하는 하늘과의 연결고리로 상징화하였습니다.

그 옆으로 수양버들이 흐드러집니다. 옛 선인들은 버들을 통해 사랑과 이별을 이야기했습니다. 연인과 이별을 할 때 늘어진 수양버들 가지를 꺾어 떠나는 이에게 징표로 주며 가슴 아픈 사랑을 노래했습니다. 이는 버들의 억센 생명력을 빌어 평안과 무사를 기원하는 주술적 뜻도 내포하고 있습니다.

"수양버들(Weeping Willow)"은 쌍떡잎식물로 버드나무 목 버드나무 과의 낙엽 활엽교목입니다. 그 속명은 Salix Babylonica. 켈트어로 '가 깝다'는 뜻의 Sal(살)과 '물'이라는 Lis(리스)의 합성어로 Salix, 물가 라는 의미를 담고 있습니다.

"304개의 수양버들 잎이 4월의 봄바람에 구슬프다."

4월이면 수양버들잎이 봄바람에 나부낍니다. 저는 언젠가부터 수양 버들을 보면 애잔한 마음이 느껴졌습니다. 이에 "기억의 바다"에 수양 버들을 반영하려고 정보를 모으는 과정에서 우연인지 필연인지 저의 예술가적 느낌인지, 작품에 반영하려는 나의 의도와 맞아떨어진 수양 버들의 꽃말은 "내 가슴의 슬픔"입니다.

오브제로 사용한 작품 속 수양버들잎은 은색 거울지입니다. "거울은 절대 거짓말을 하지 않는다"는 말처럼 거울로 표현한 304개의 수양버 들잎은 아직도 밝혀지지 않고 있는 진실이, 하루빨리 밝혀지길 염원하 는 마음입니다.

"기억의 바다" 작품 속 젠탱글은 바닷속 깊고 깊은 심해의 지면과 맞닿아있습니다. 그 심해에는 '잔잔한 물이 더 깊은 법이다'라는 은색 이 가진 상징적인 의미가 함축되어 있습니다. 이는 바다 깊은 곳 어딘가에 있을 희생자들이 말하지 못한, 이루지 못한 꿈과 사연입니다. 하지만 그 사연들은 수양버들과 간당간당 닿지 못합니다. 이곳은 바다의 첫 번째 경계와 해수면이 통제합니다.

삶과 죽음, 현재와 과거, 내면과 외면의 경계입니다. 인간이 어찌할 수 없는 영역입니다. 너무나 안타까워 기억으로만 갈 수 있는 곳. 기억의 바다에는 그렇게 기억하는 자만이 출입이 가능한 곳이기에 늘 애달픕니다.

2. 쉼

한글 팝아트 "천 개의 바람"은 한글 "쉼"이라는 한 글자 단어를 기호화하고 상징적 의미를 담은 작품입니다.

"쉼"이란 단어의 사전적 의미는 "쉬다"의 줄임말의 개념으로 "휴식을 취하다, 피로를 풀기 위해 몸을 편안히 두다, 잠시 머무르다, 입이나 코로 공기를 들이마셨다 내보냈다 하다."의 다양한 뜻이 있습니다. 이러한 사전적 의미를 담은 한글 "쉼" 글자의 의미처럼 이제는 보내고, 내려놔야 합니다. 아울러 작품 "천 개의 바람"은 떠난 이들이 남아 있는 이들에게 전하는 메시지입니다.

어느 날 우연히 듣게 된 노래 한 곡에 나도 모르게 눈에서 눈물이

흘러내렸습니다. 그 가사는 너무나 가슴 절절하기에 애도 곡으로 많이 불린다고 합니다.

그 곡은 지난 2009년 2월 16일 대한민국 팝페라 가수 임형주가 한국어로 번안하여 자신의 미니앨범 "My Hero" 마지막 7번 트랙으로 수록하여 국내에서 처음으로 발표해 화제가 되었던 곡 "천 개의 바람이 되어"입니다.

이 곡은 먼저 세상을 떠난 고인들을 기리는 추모곡으로 쓰이고 있으며, 미국, 일본, 한국에 서 많은 인기를 얻었습니다. 작자 미상으로 알려진 영문 추모 시 "Do not stand at my grave and weep"에 멜로디를 붙인 것입니다.

처음에는 임형주와 평소 인연이 깊었던 김수환 추기경의 추모곡으로 헌정되었으나, 같은 해 5월 노무현 대통령의 추모곡으로 불렸습니다. 우리에게는 2014년 4월 세월호참사 희생자들의 추모곡으로 가장 많이 알려졌습니다.

나의 사진 앞에서 울지마요/ 나는 그곳에 없어요/ 나는 잠들어 있지 않아요/ 제발 날 위해 울지 말아요/ 나는 천 개의 바람/ 천 개의 바람이 되었죠/ 저 넓은 하늘 위를/ 자유롭게 날고 있

죠/ 가을엔 곡식들을 비추는/ 따사로운 빛이 될게요/ 겨울엔 다이아몬드처럼/ 반짝이는 눈이 될게요/ 아침엔 종달새 되어/ 잠든 당신을 깨워줄게요/ 밤에는 어둠 속에 별 되어/ 당신을 지켜 줄게요/ 나의 사진 앞에 서 있는 그대/ 제발 눈물을 멈춰요/ 나는 그곳에 있지 않아요/ 죽었다고 생각 말아요/ 나는 천 개의 바람/ 천 개의 바람이 되었죠/ 저 넓은 하늘 위를 / 자유롭게 날고 있죠/ 나는 천 개의 바람/ 천 개의 바람이 되었죠/ 저 넓은 하늘 위를 /자유롭게 날고 있죠.

'그대, 이제 눈물을 거두고 편히 쉬어요
그리한 다음에 우리 함께 그 자리에서 무엇으로 만나요.'

천 개의 바람

천 개의 바람. 60.6×72.7cm canvas acrylic.objet 2023

이 작품은 한글 "쉼" 글자를 바탕으로 기본색은 연두색입니다. 노랑과 녹색의 중간인 연두는 봄을 상징하고, 청춘과 희망을 나타냅니다. 물결치는 청보리밭은 4월 그해 봄을 상징적으로 표현합니다. 아직 여물지 않은 푸른 보리를 말하는 "청보리"는 먼저 떠나간 단원고 아이들의 소리입니다.

한글의 자음 'ㅅ'은 먼 데 있는 산이고, 겹겹의 산은 울림이고 메아리입니다. 지면과 맞닿은 첫 자음 'ㅅ'에는 색을 칠하지 않고 비워두었습니다. 이는 '회상'이라는 통로로 먼저 간 이들과 남은 이들이 만나길 바라서입니다.

한글의 복합모음 'ㅟ'는 청보리밭으로 가는 길과 그 위에 우뚝 서 있는 한 그루의 나무로 표현하였습니다. 길은 청보리밭을 지나 벤치와 만납니다. 미술 심리에서 다루는 심리 검사법 중 투사검사인 "HTP [House-Tree-Person] Test"는 집-나무-사람을 통해 심리를 해석하는 그림 검사법입니다. 그 중 'T' 나무는 자아를 상징합니다.

작품에서 이를 반영한 까닭은 자기를 표현하며 자아를 성장시켰을 아이들의 꿈과 포부를 함축적으로 표현하고 싶어서입니다. 나무에는 오브제로 사용한 1,000개의 큐빅이 자유롭게 빛을 발합니다. 천 개의 바람이 되어 어딘가로 자유로이 날아갈 1,000개의 바램을 담아서 말입니다.

청보리밭 사이로 길이 열리고 그 길 끝에는 나무로 만든 벤치가 누군가를 기다립니다. 오브제로 사용한 벤치는(bench)는 한글의 받침 글 'ㅁ'으로 만든 의자입니다. 한글 모음 'ㅁ'은 입술소리(양순음)로 윗입술과 아랫입술이 닿아야 그 소리를 낼 수 있습니다.

"쉼"이라는 글자의 받침 글 'ㅁ'은 '만남'을 상징합니다. 윗입술과 아랫입술이 닿아야 소리를 낼 수 있는 것처럼 'ㅁ'은 벤치로 묘사된 만남의 공간이 됩니다. 이 벤치는 봄, 여름, 가을, 겨울 언제나 그 자리에 있습니다. 남아 있는 이들과 먼저 간 이들이 함께 쉴 수 있는 유일한 공간이자 안식처입니다.

봄바람 따라 청보리가 춤추는 4월이 오면 마음에도 바람이 옵니다. 그 바람은 2014년 봄에 와서 갈 줄을 모릅니다.

손으로 잡을 수 없는 바람을 마음으로 부여잡은
그대여. 이제 좀 쉬어요.
그래야 그 바람 온전히 느낄 수 있답니다.

세월호참사가 일어난 지 올해로 9주기입니다. 우리 기억 속 그 해는 잊을 수 없습니다. 이런 비극적인 사회적 참사가 두 번 다시 일어나지 않기를 염원하며, 엄마로, 국민으로 동시대를 살아가며 겪는 사회적 아픔을 함께 추모하고자 합니다.

아울러 예술가로서 이러한 사회적 아픔을 "한글 팝아트"라는 시각 작품으로 그 의미를 되새기고자 합니다.

한글 팝아트 "노란 바다", "기억의 바다", "천 개의 바람"은 세월호참사 희생자분과 유족분들에게 애도의 마음을 전하고자 저의 첫 공저에 이렇게 작품 이야기를 담아봅니다.